历代碑帖精粹 晋

好大王碑

主编 杜浩

安徽美术出版社
全国百佳图书出版单位

《好大王碑》又称《广开土王境平安好大王碑》。光绪年间出土，据考为东晋义熙十年（公元四一四年）刻，碑高六点一二米，碑面幅宽一点零四米至一点八五米不等。四面环刻碑文，共四十四行，每行四十一字，计一千八百余字，现存于吉林省集安县。此碑内容为高句丽第二十代长寿王为纪念第十九代王谈德而建，碑文叙述了高句丽建国的神话和谈德的战功。

该碑书体为隶书，淳朴自然，在众多隶书碑刻中独树一帜，风格鲜明。笔画粗细变化并不大，结体并没有运用『中宫紧收，主笔伸展』通常范式，部分字形与篆书更为接近，没有汉代隶书『蚕头雁尾』的典型特征，不少笔画折笔化为圆转，运用篆书笔意一笔写就，与笔法成熟的汉碑相比，自成一格，审美取向质朴天真，取法此碑者多用心于此。

用笔放松而无紧张之感，收放任其自然，毫无矫揉造作之态，与笔法精致巧妙之隶书形成鲜明对照，临习者可多加用心体会，得其拙趣，取其天然。傅山有言『宁拙勿巧，宁丑勿媚，宁支离勿轻滑，宁直率勿安排』，学习者可从此碑体会这一艺术哲理。

杜浩／中央美术学院书法专业博士

惟昔始祖邹　牟王之创基　也出自北夫

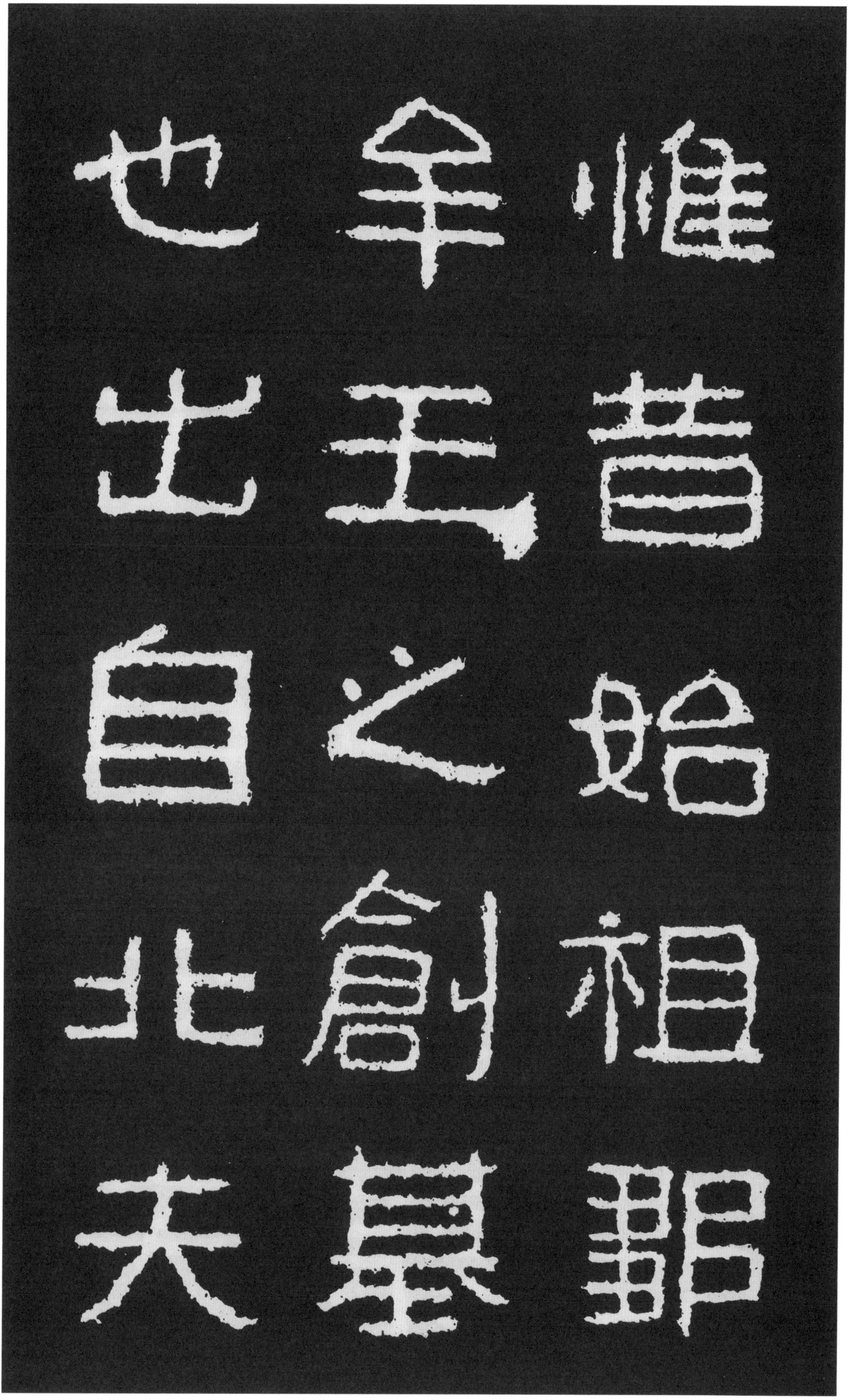

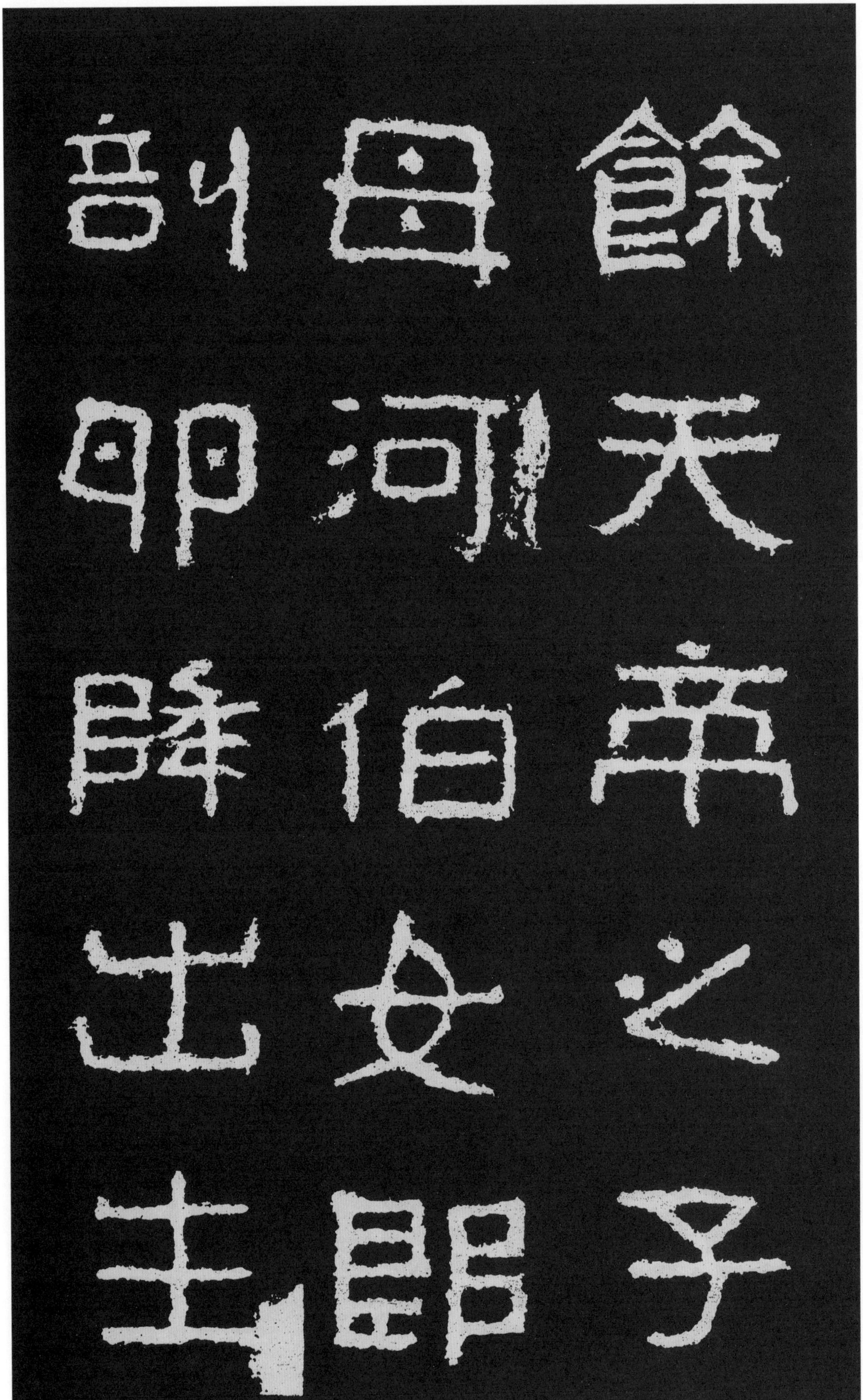

余天帝之子　母河伯女郎　剖卵降出生

子有圣德命　驾巡车南下　路由夫余奄

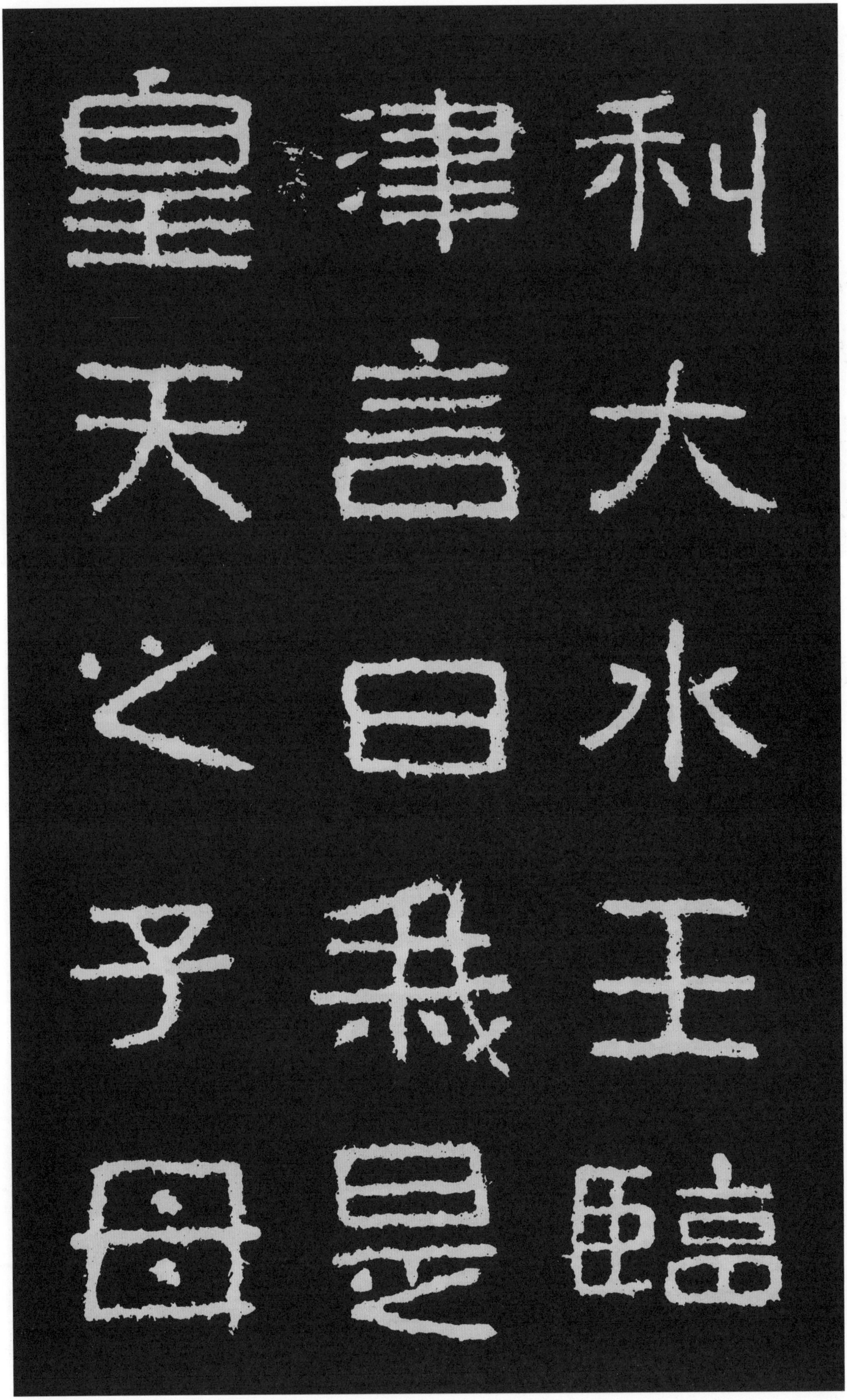

利大水王临　津言曰我是　皇天之子母

河伯女郎邹　牟王为我连　葭浮龟应[声]

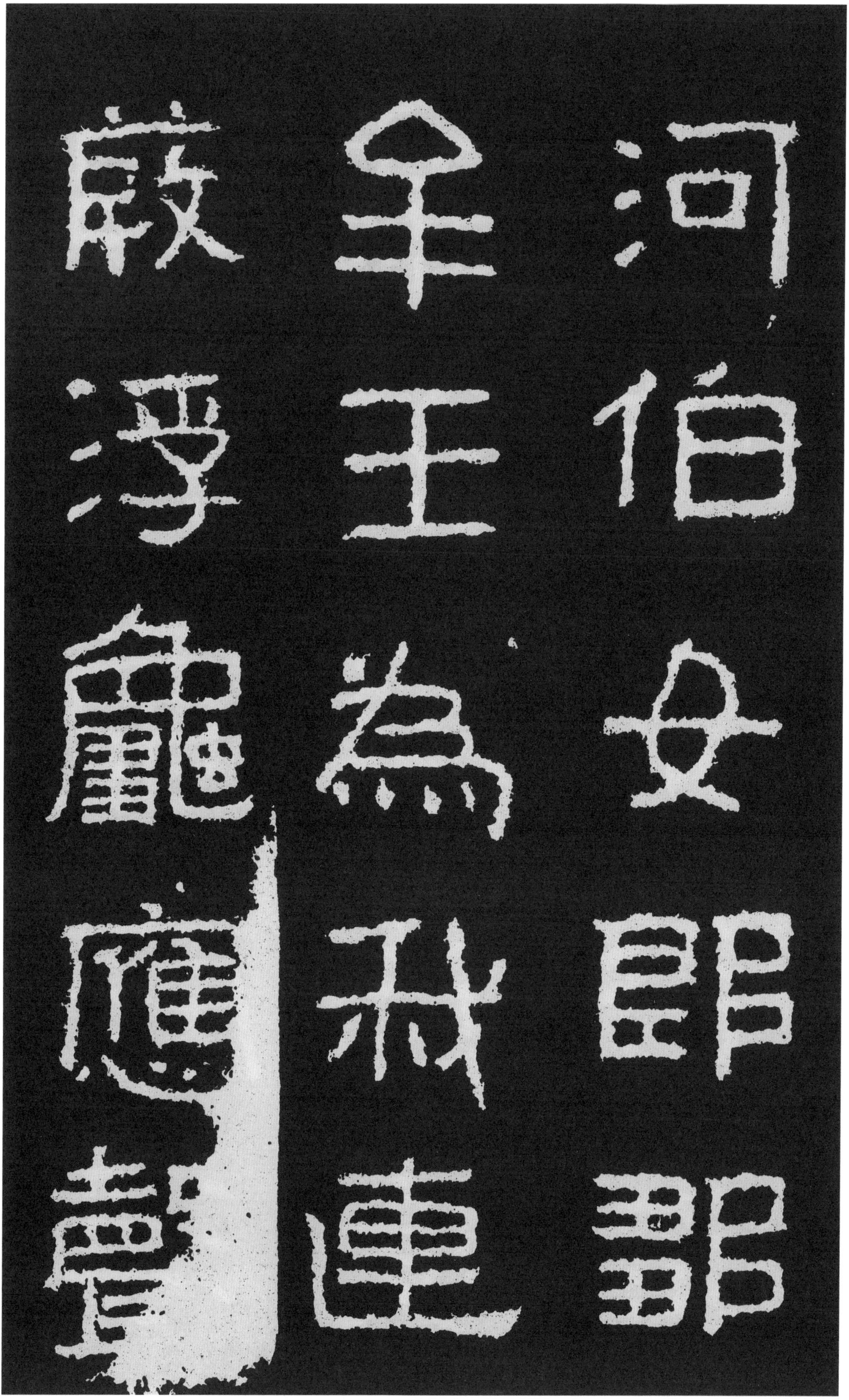

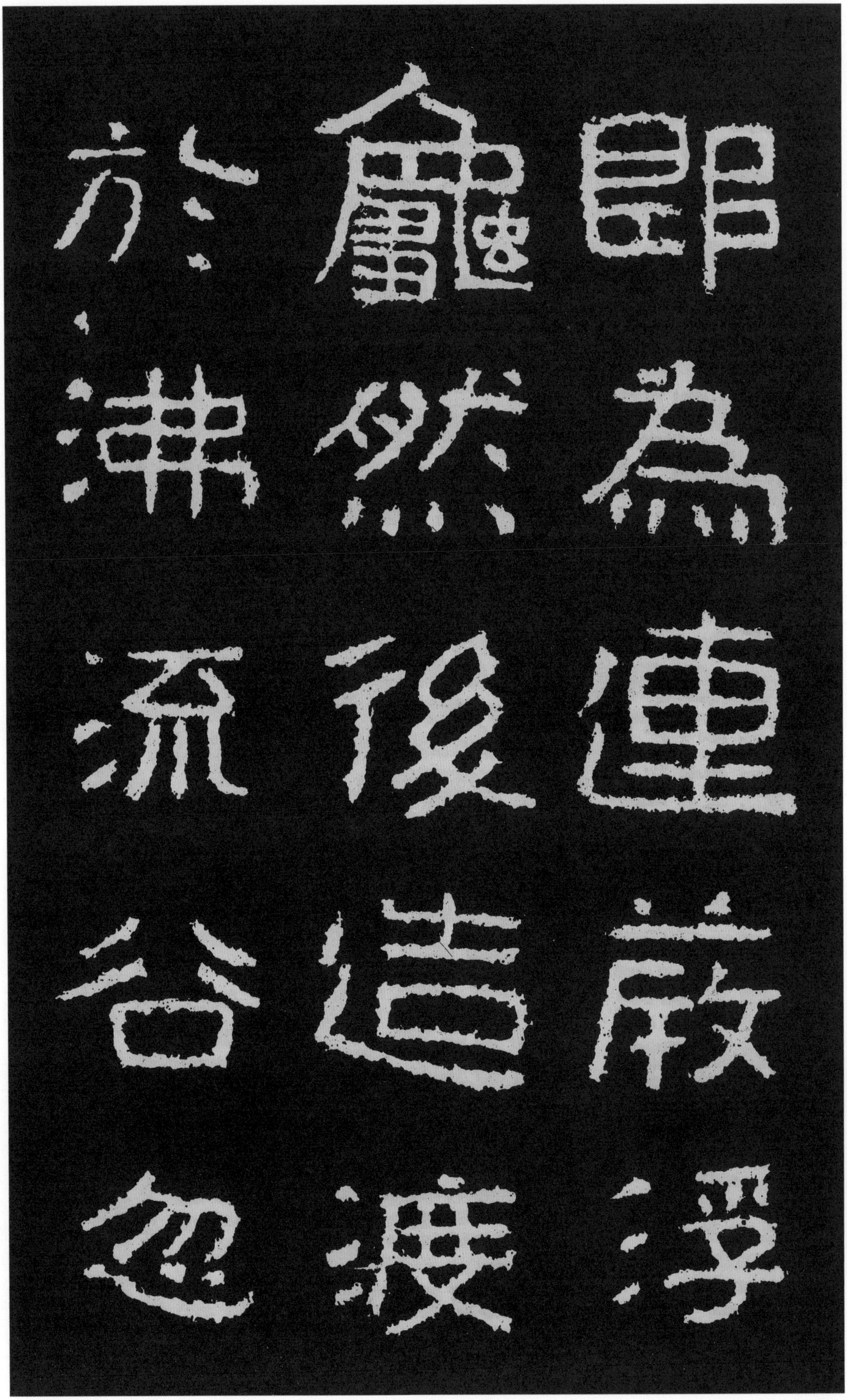

即为连□浮　龟然后造渡　于沸流谷忽

本西城山上　而建都焉永　乐即位因遗

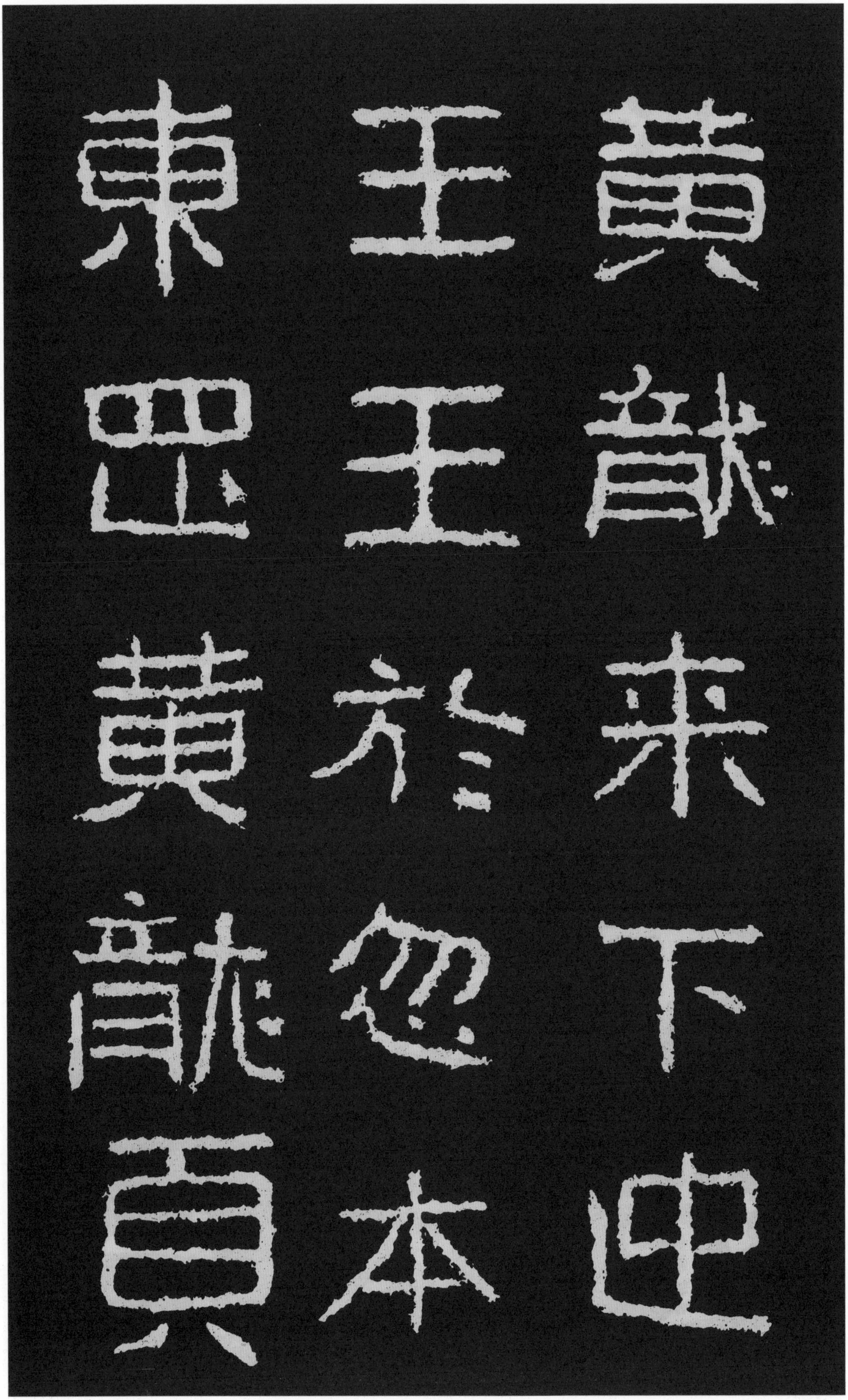

黄龙来 下迎 王王于忽本 东冈黄龙贡

升天顾命世　子儒留王以　道与治大朱

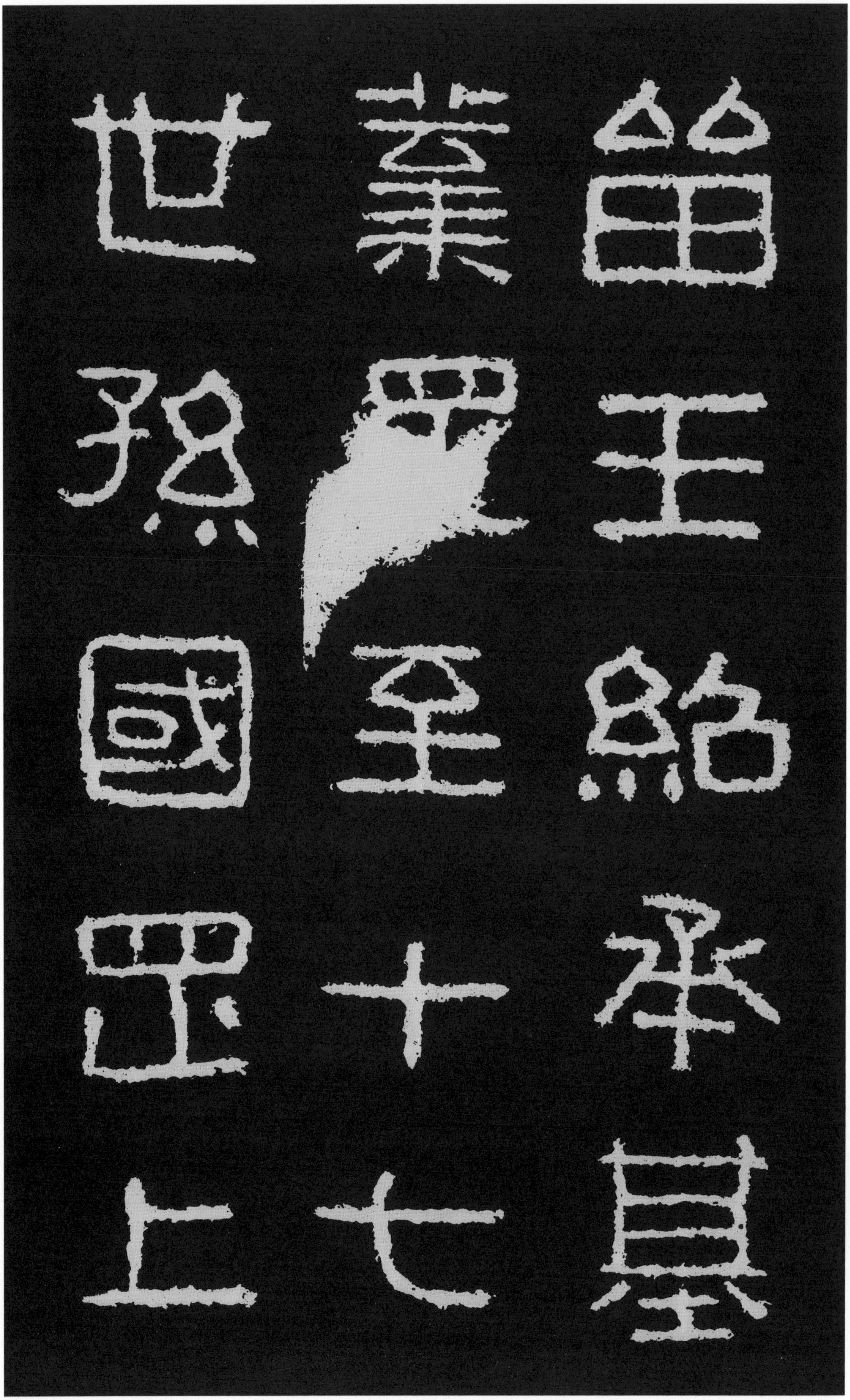

留王绍承基　业□至十七　世孙国冈上

广开土境平　安好太王二　九登祚号为

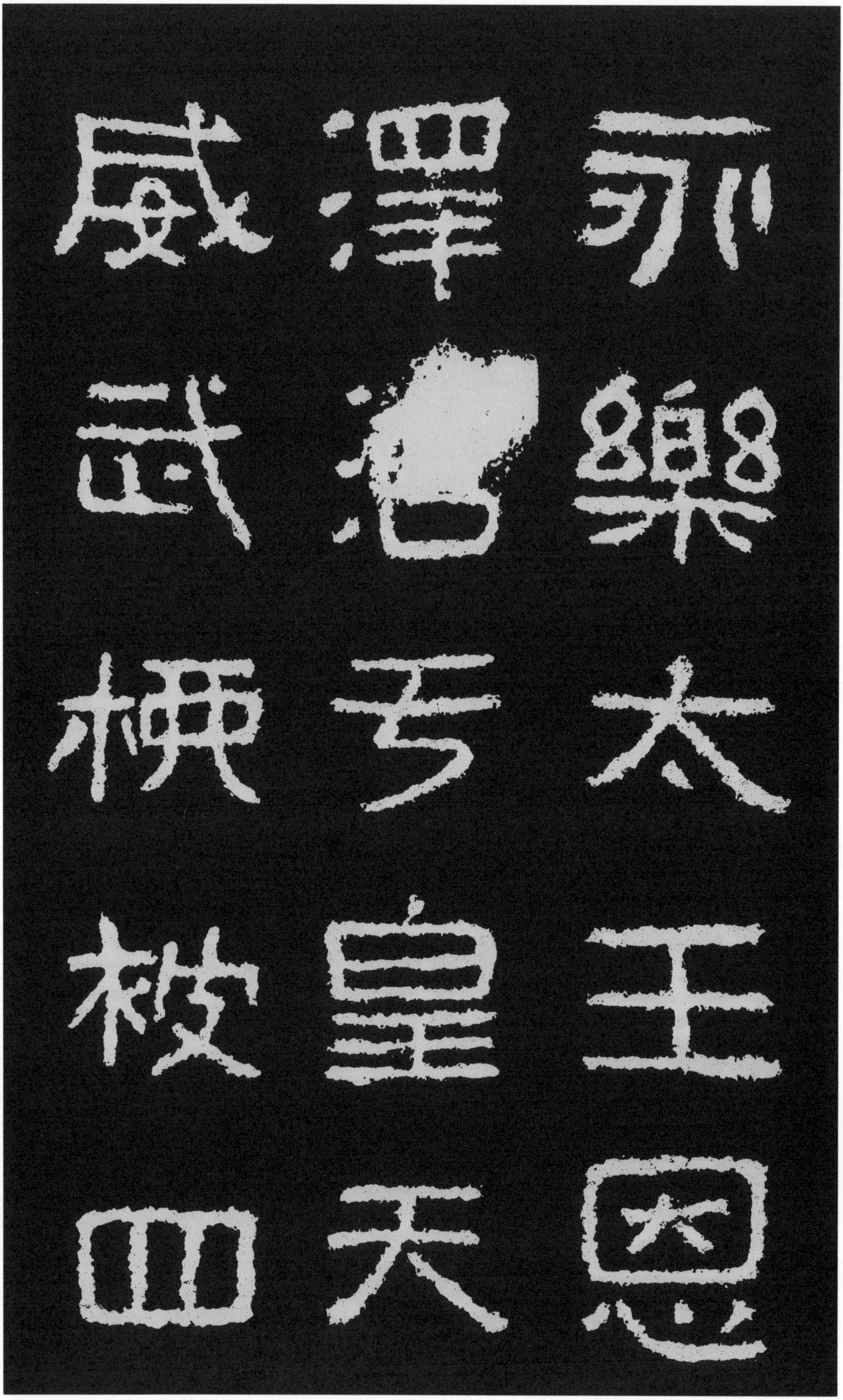

永乐太王恩　泽□于皇天　威武𢪱被四

海扫除庶宁　其业国富民　殷五谷丰熟

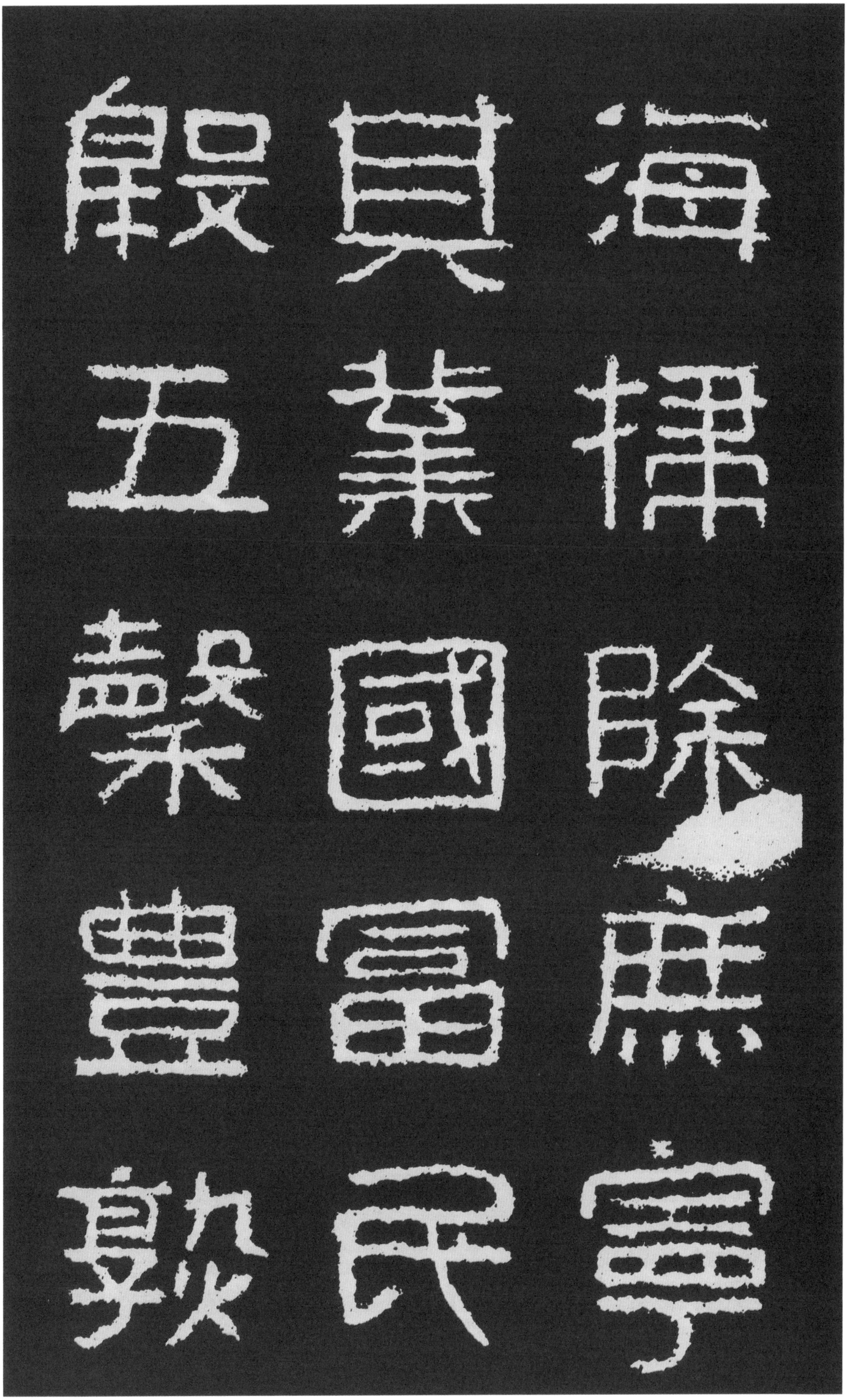

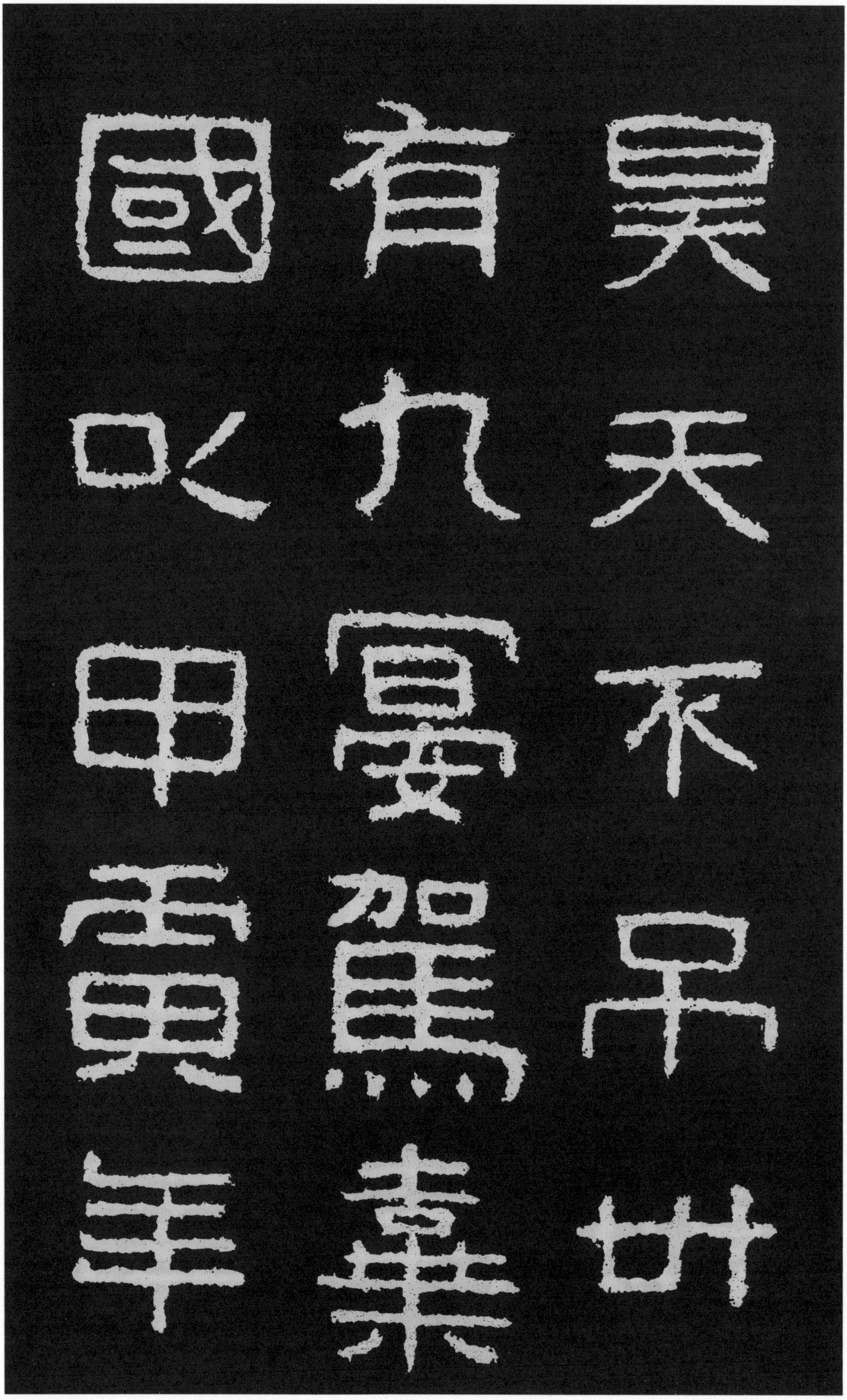

昊天不吊卅　有九宴驾弃　国以甲寅年

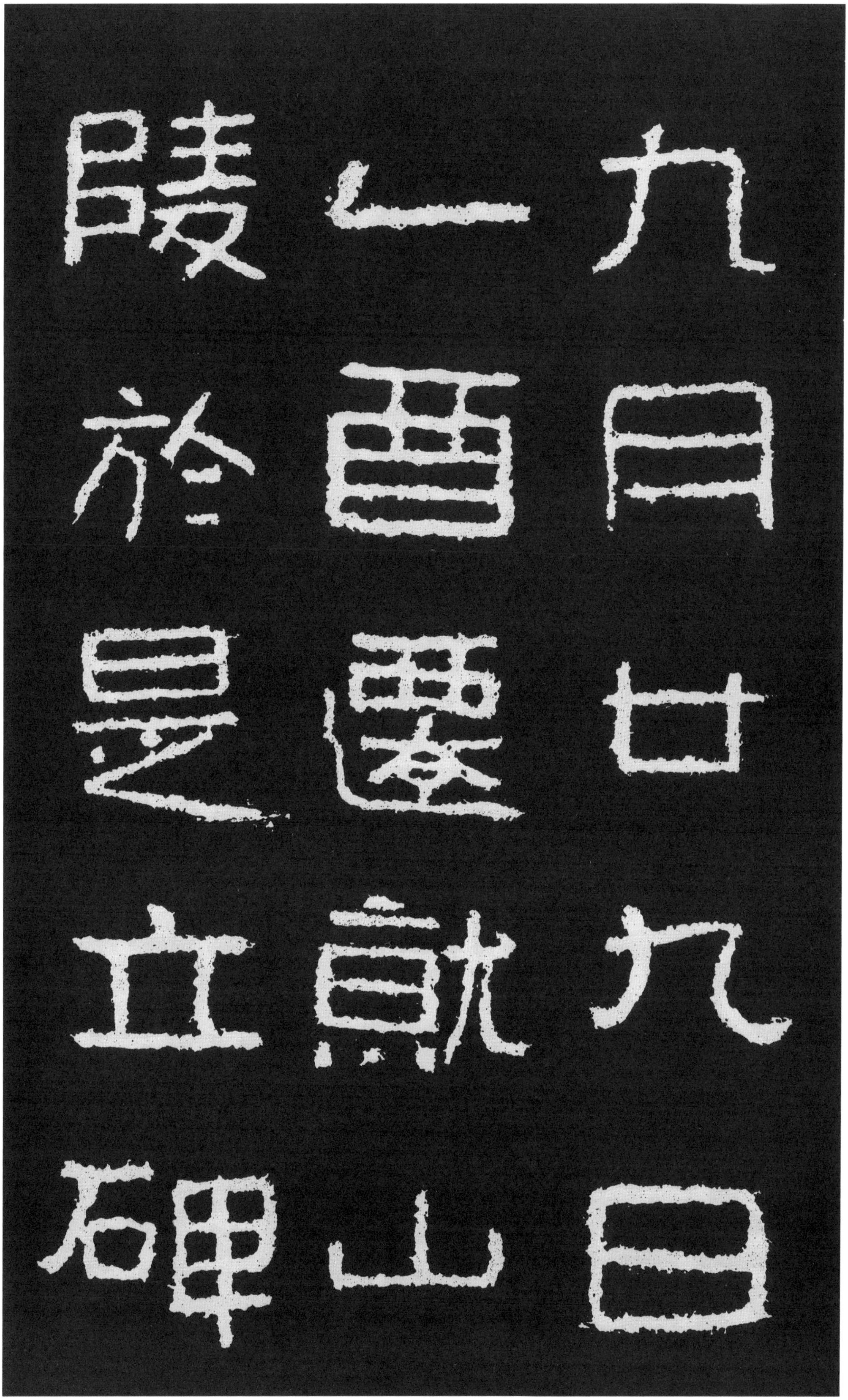

九月廿九日　乙酉迁就山　陵于是立碑

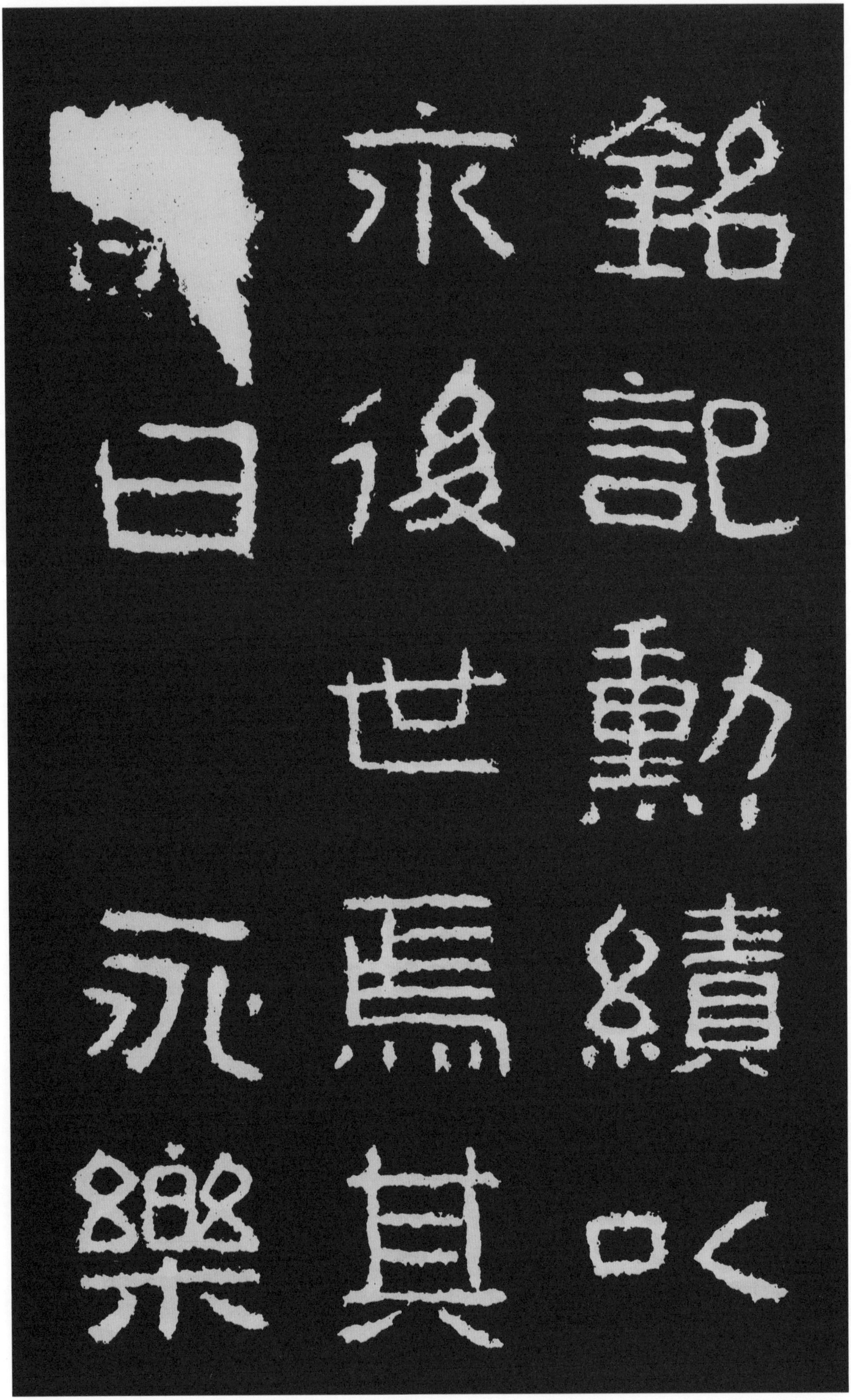

铭记勋绩以 永后世焉其 □曰 永乐

五年岁在乙　未王以碑丽　不息□又躬

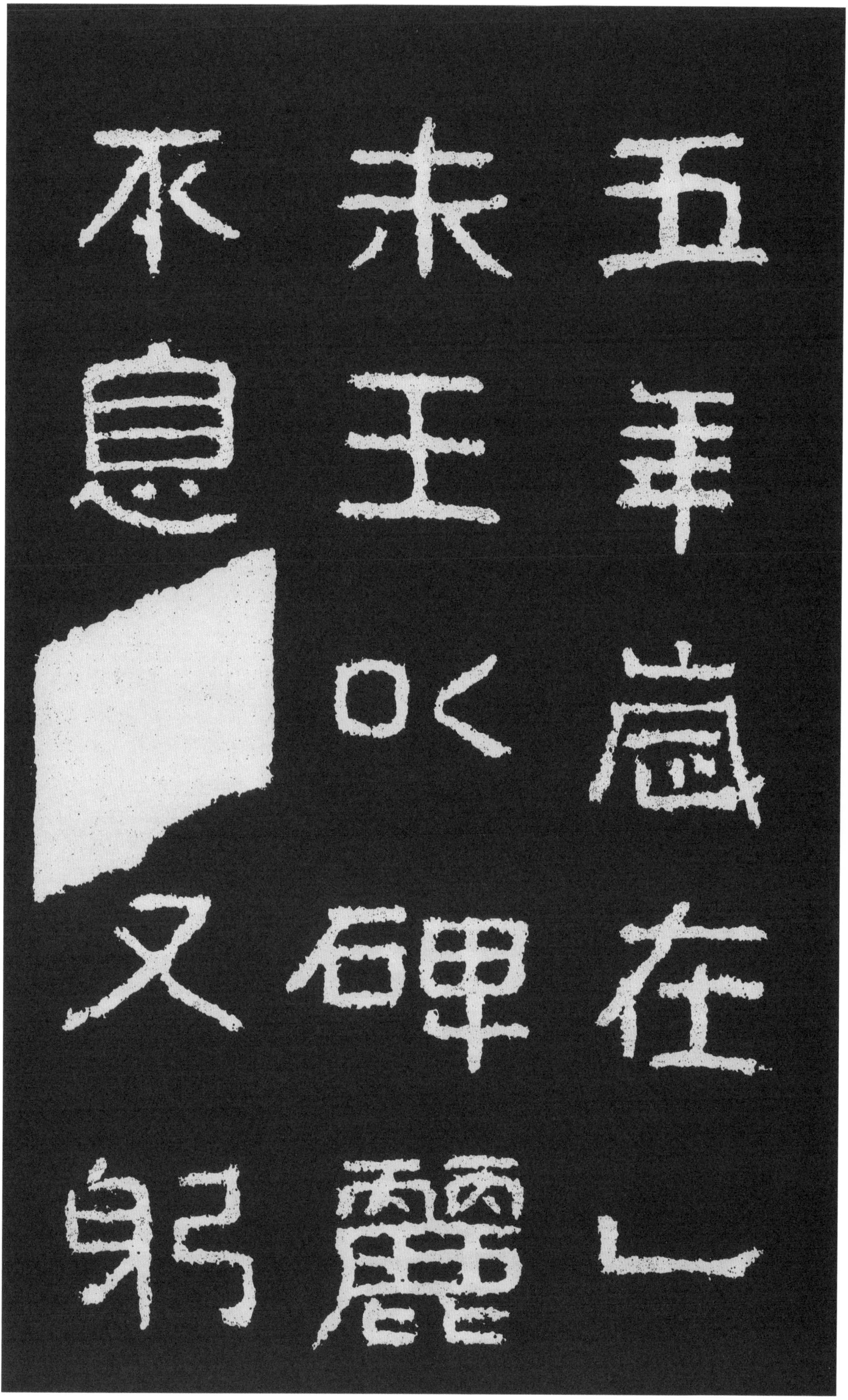

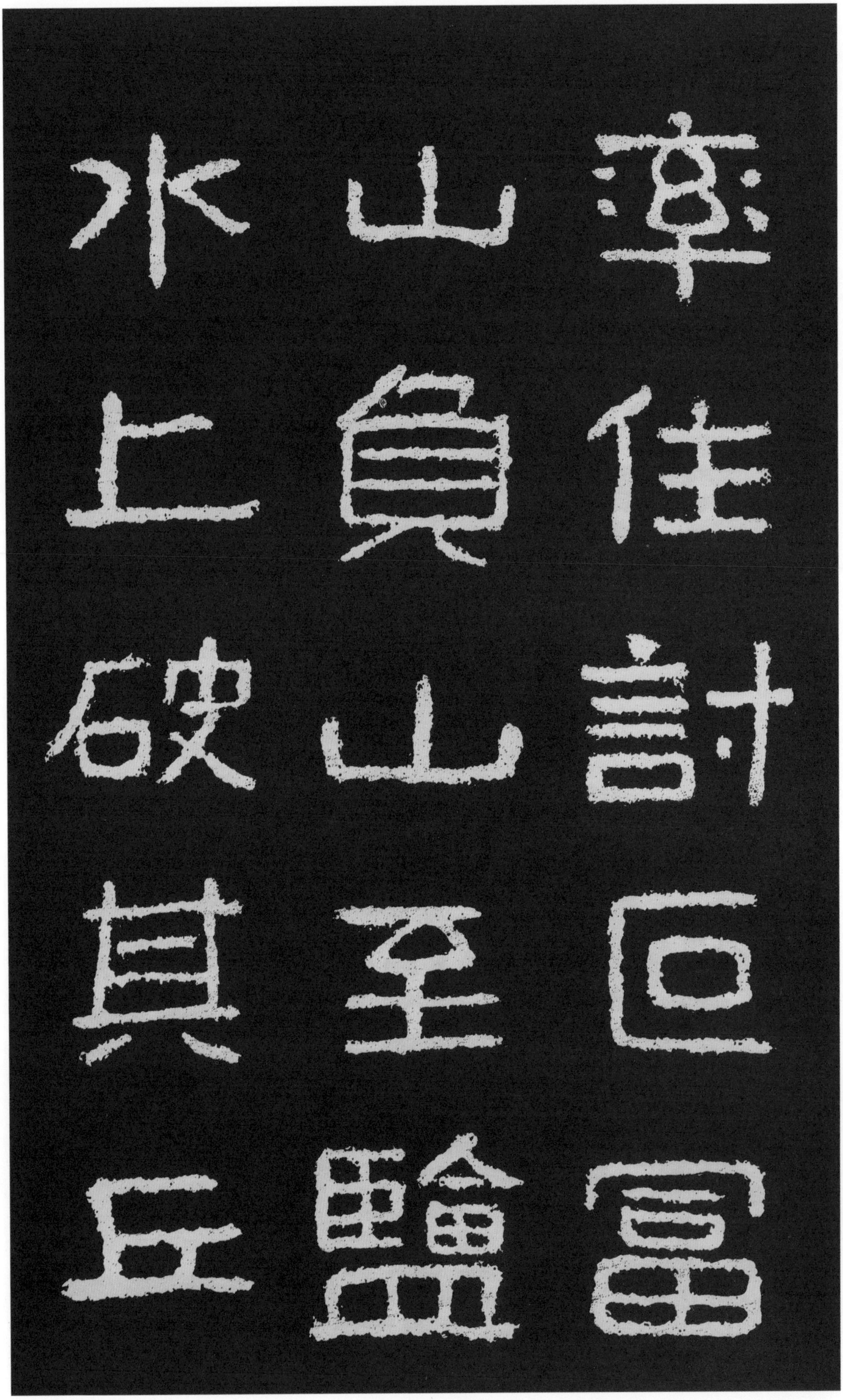

率往讨叵富　山负山至盐　水上破其丘

部洛六七百當牛馬羣羊不可稱數於

部洛六七百　当牛马群羊　不可称数于

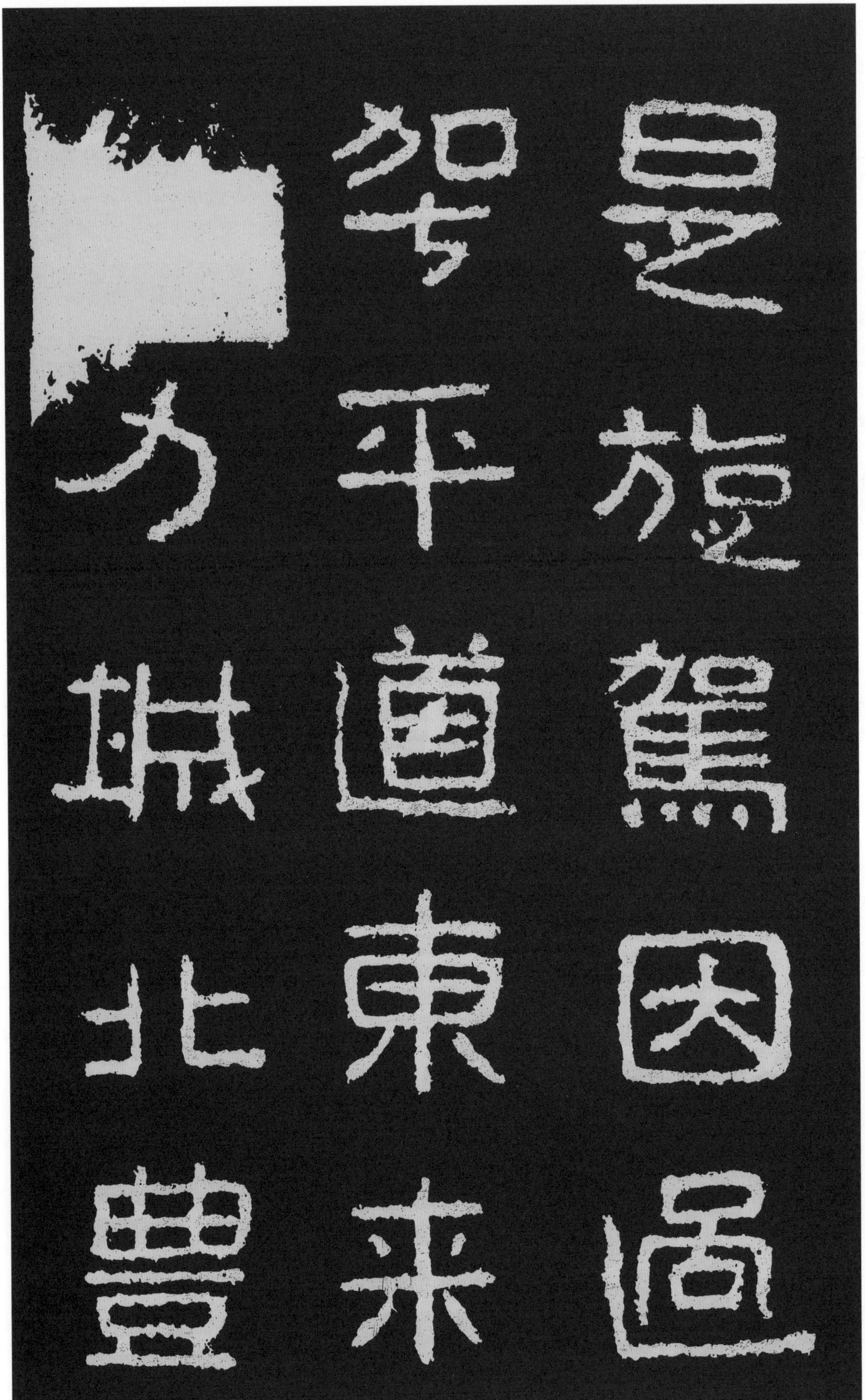

是旋驾因过　□平道东来　□力城北礼

五备犹游观　土境田猎而　还百残新罗

旧是属民由　来朝贡而倭　以辛卯年来

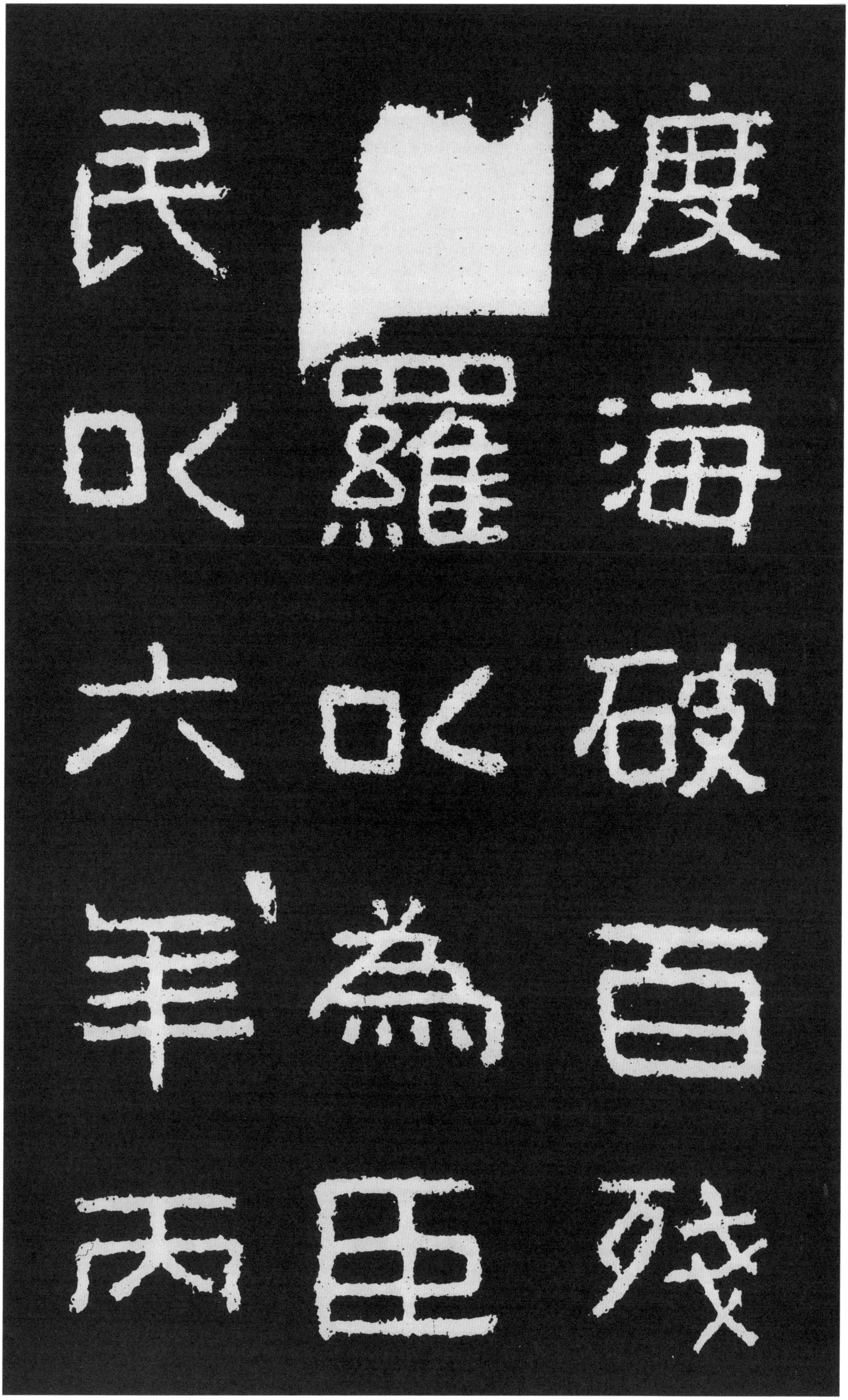

渡海破百残 □罗以为臣 民以六年丙

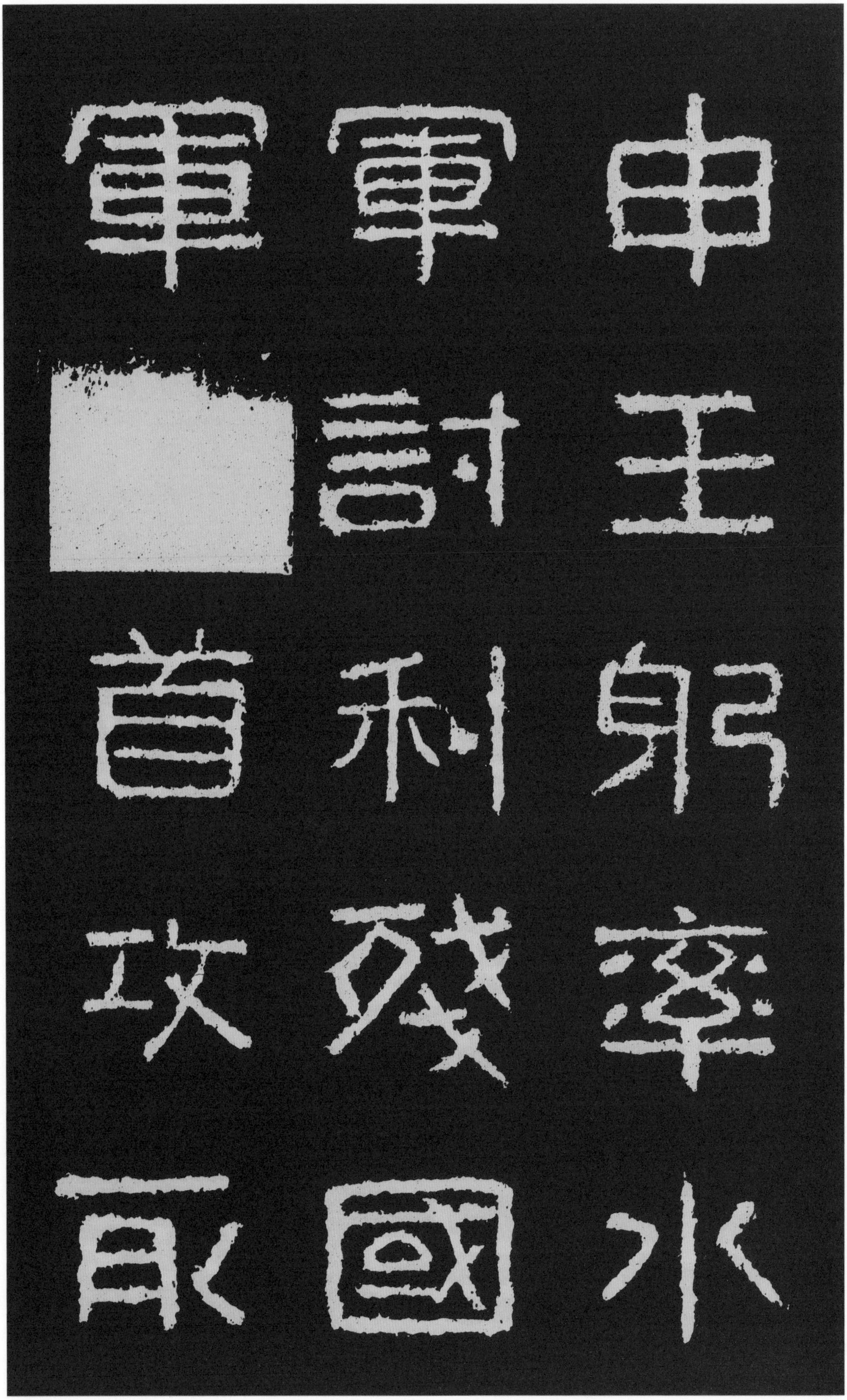

中王躬率水　军讨利残国　军□首攻取

壹八城臼模　卢城若模卢　城干弓利□

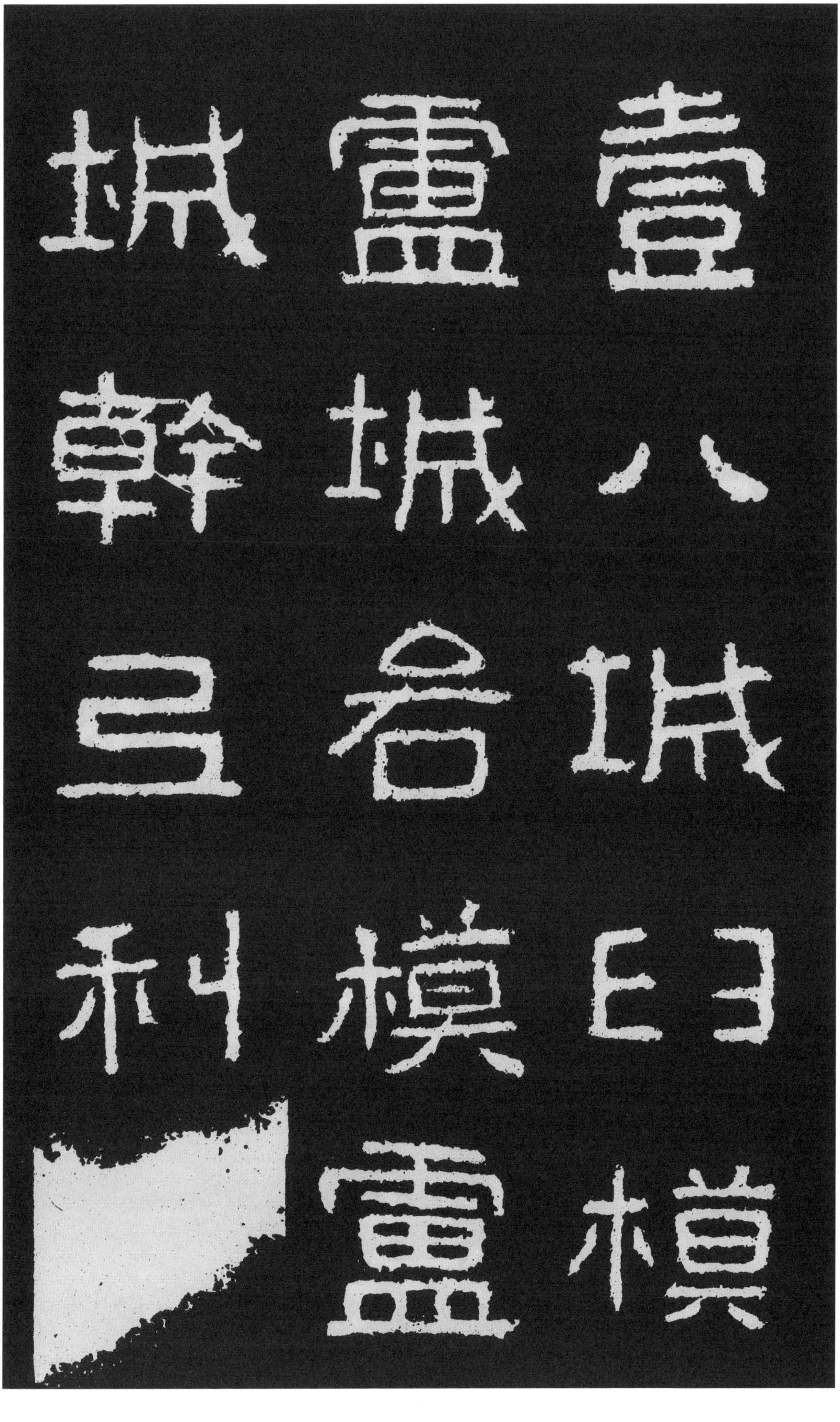

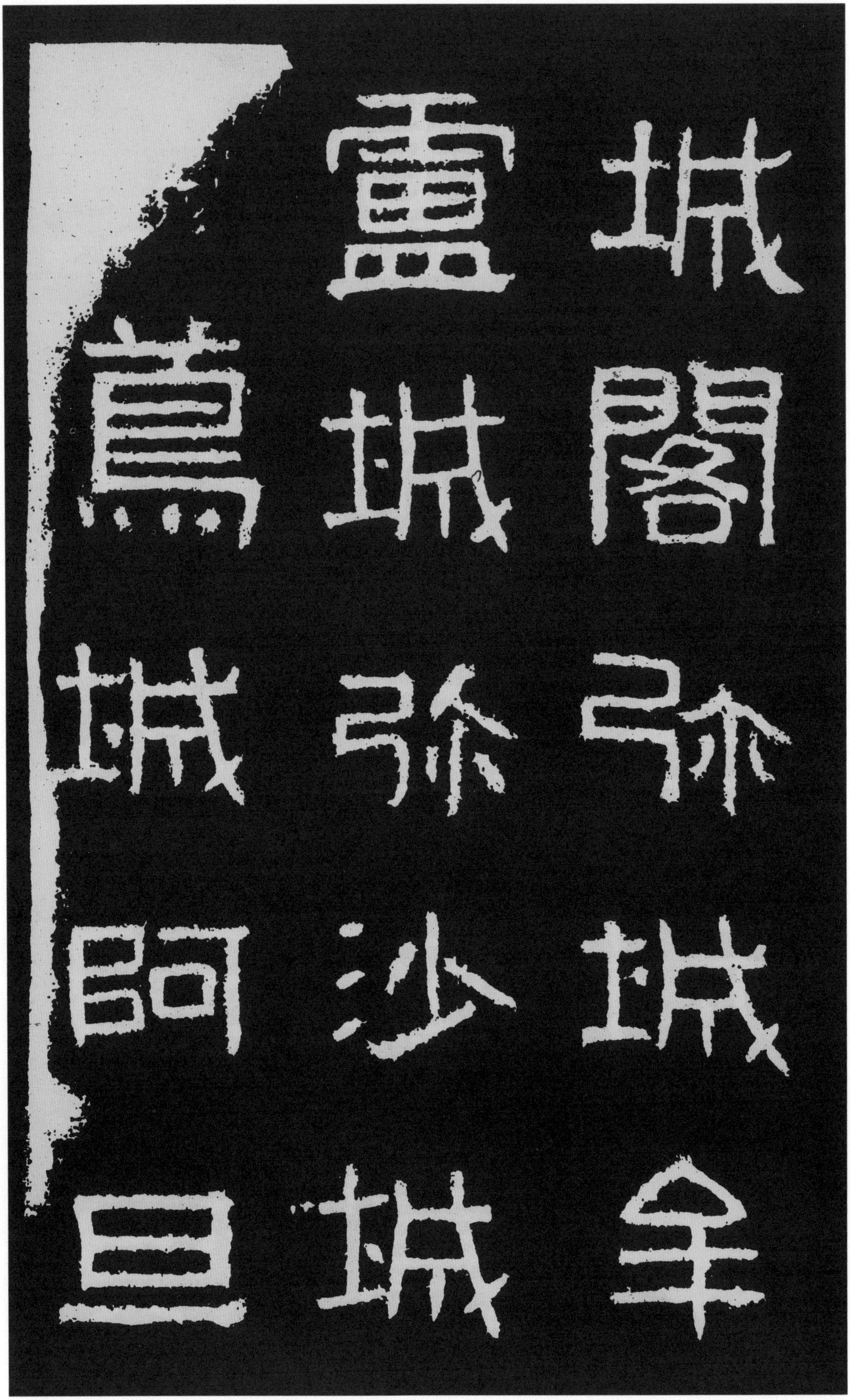

城阁弥城牟　卢城弥沙城　□莴城阿旦

城古利□利　城杂弥城奥　利城勾牟城

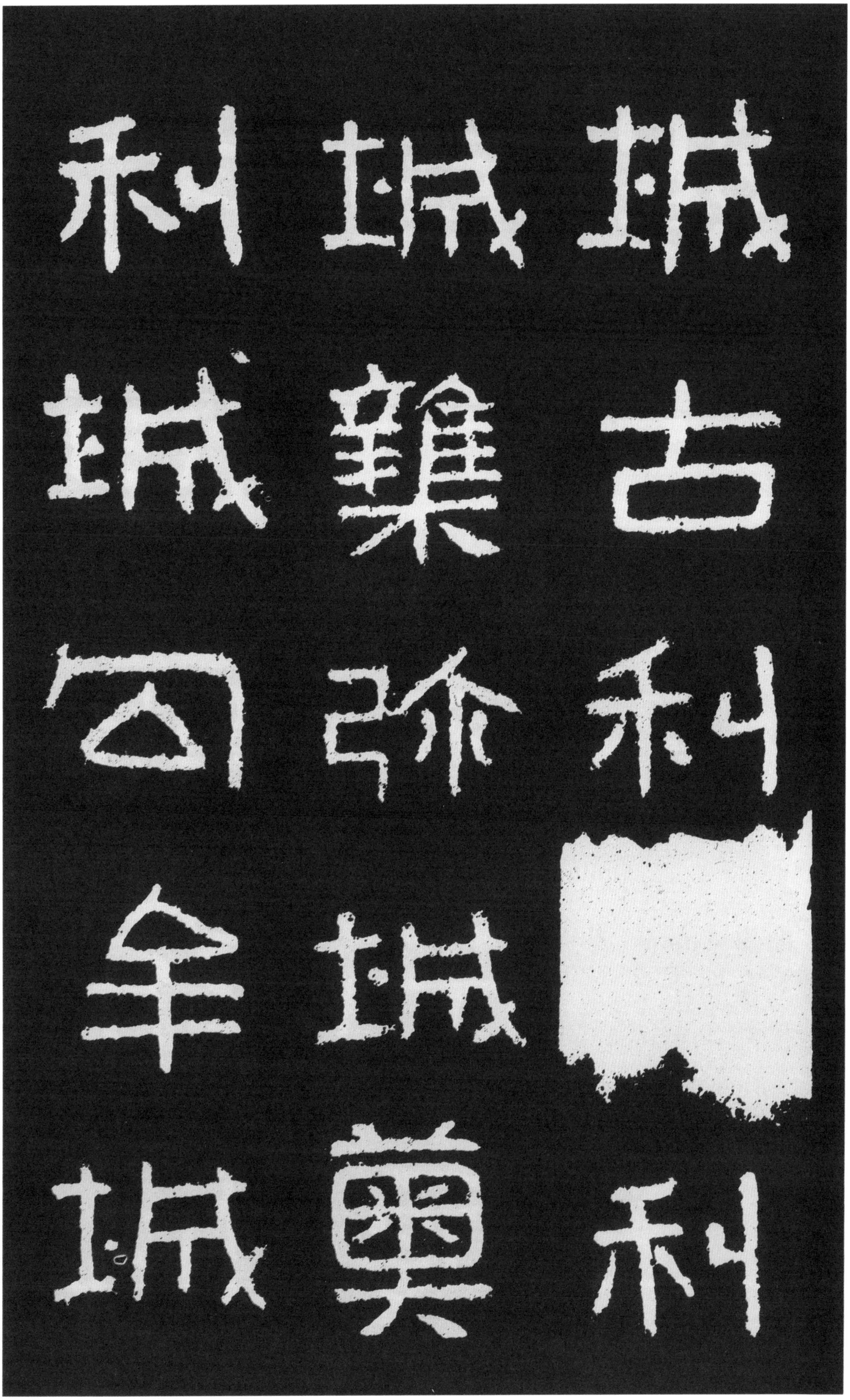

古模耶罗城　页□力而耶　罗□□城□

□奴城沸□ 利城弥邹城 也利城大山

韩城扫加城　敦拔□娄卖　城散□城□

娄城细城牟　娄城于娄城　苏龙城燕娄

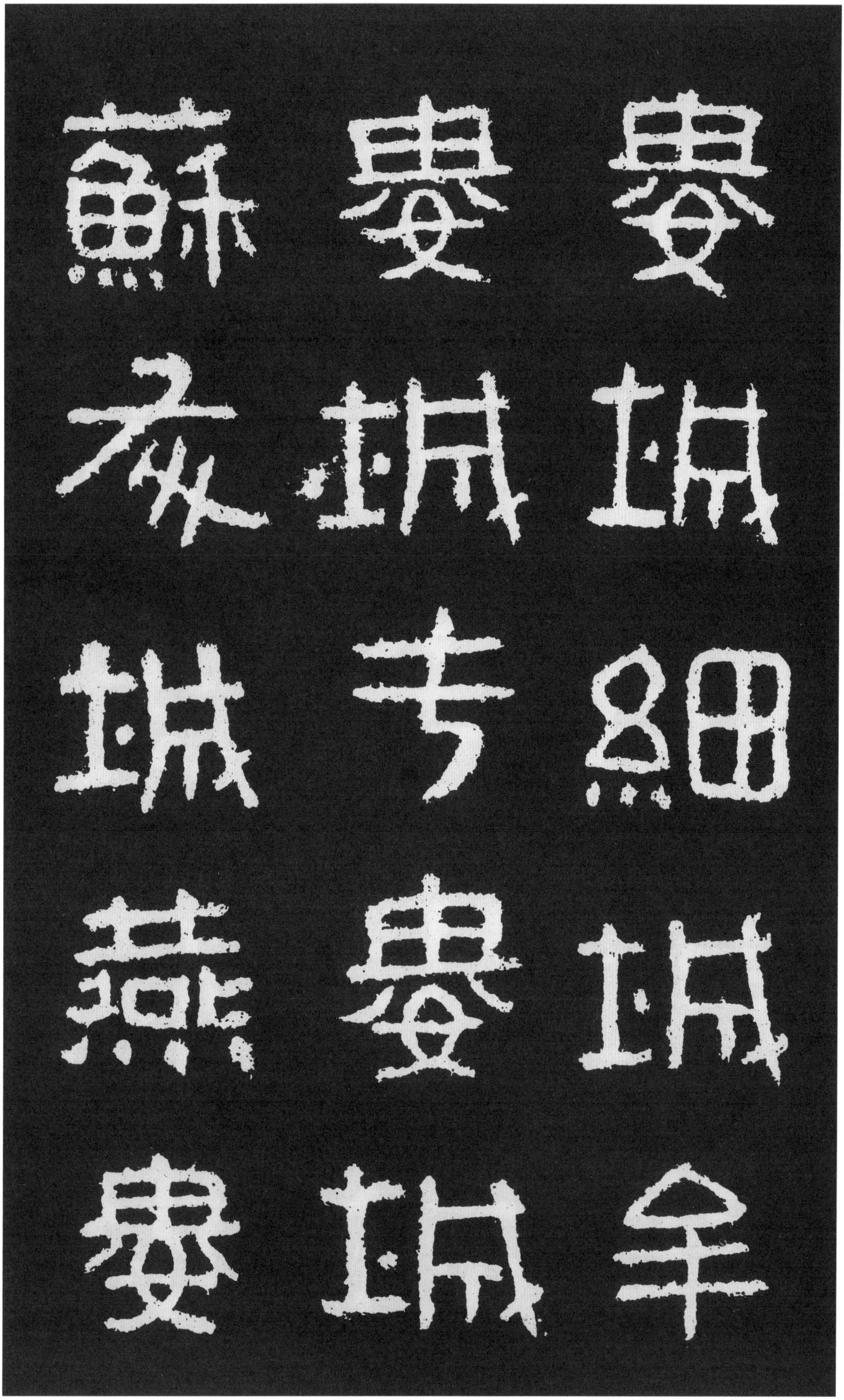

城析支利城　严门至城林　城□城就邹

城□拔城古　牟娄城闰奴　城贯奴城乡

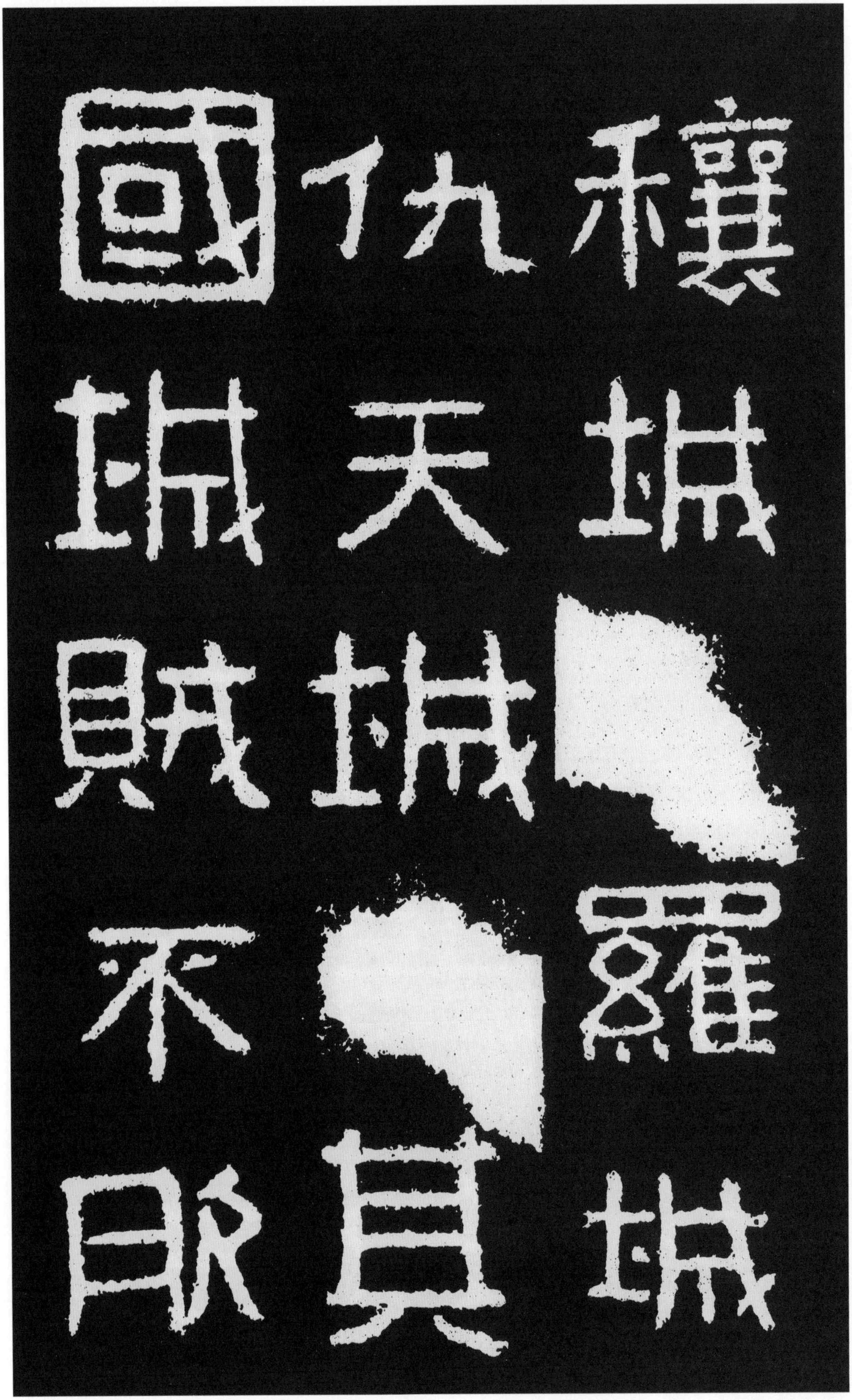
穰城羅城
仇天城其
國城賊不服

穰城□罗城　仇天城□其　国城贼不服

氣敢出百戰
王威赫怒渡
阿利水遺剌

气敢出百战　王威赫怒渡　阿利水遗剌

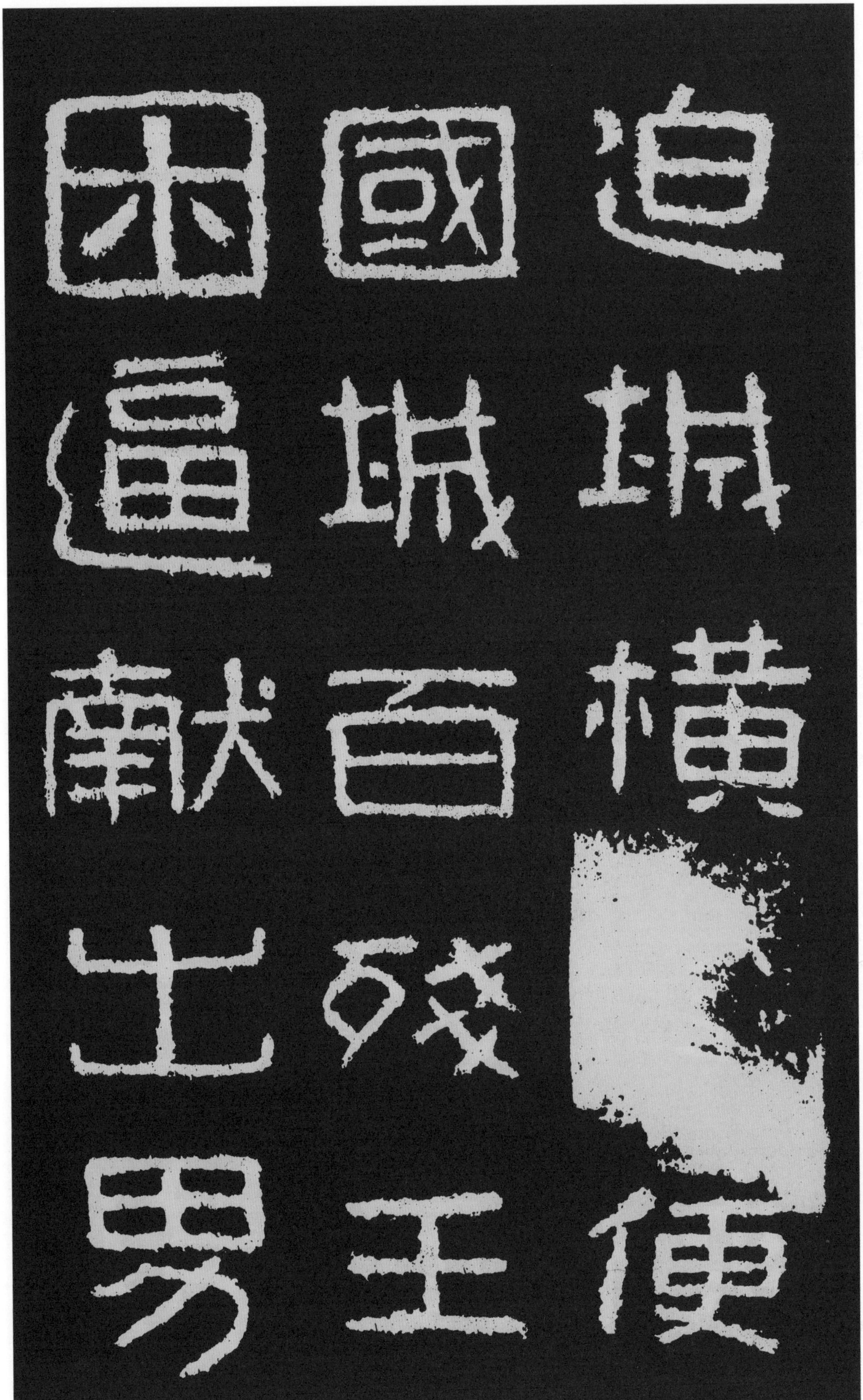

迫城横□便　国城百残王　困逼献出男

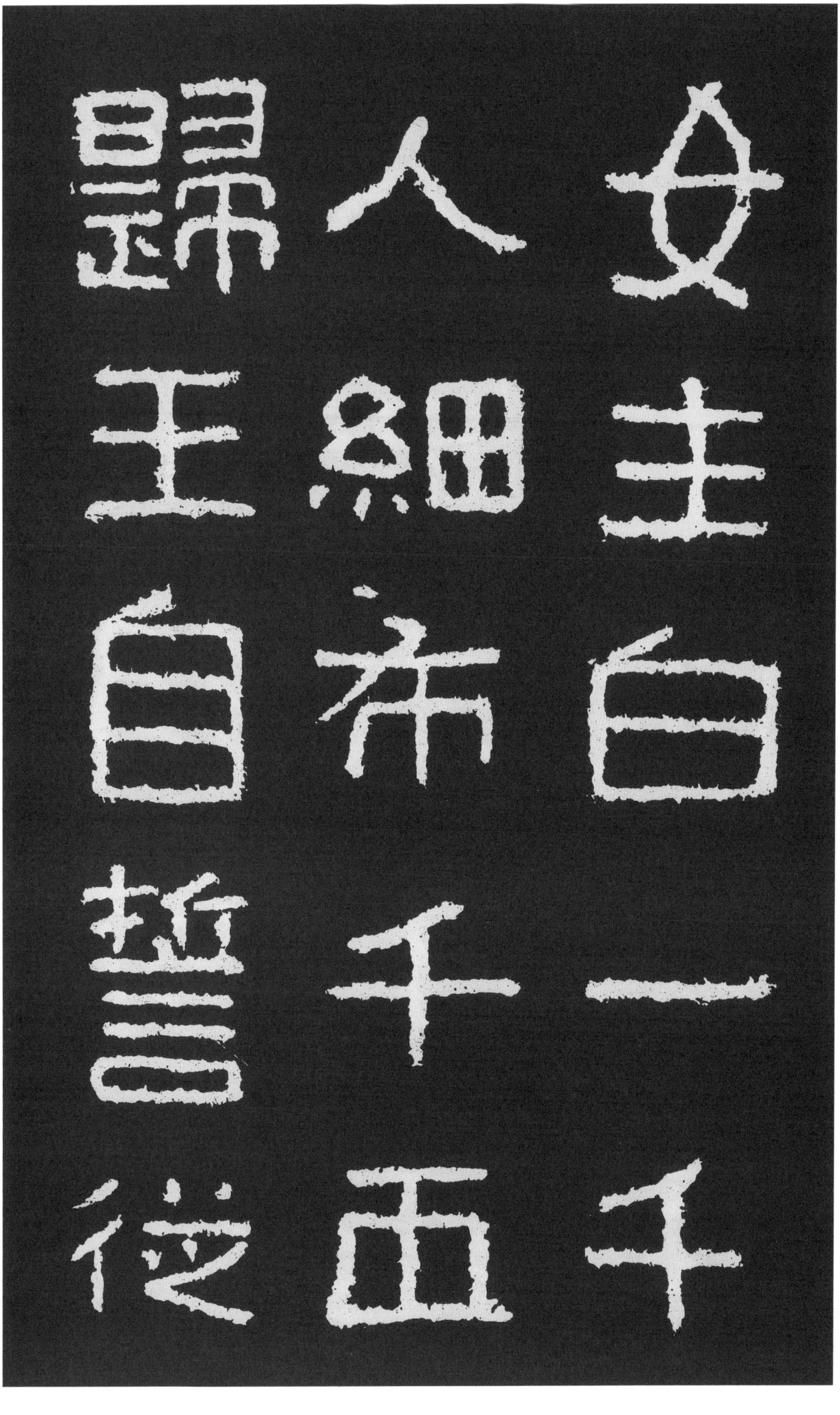

女主白一千　人细布千匜　归王自誓从

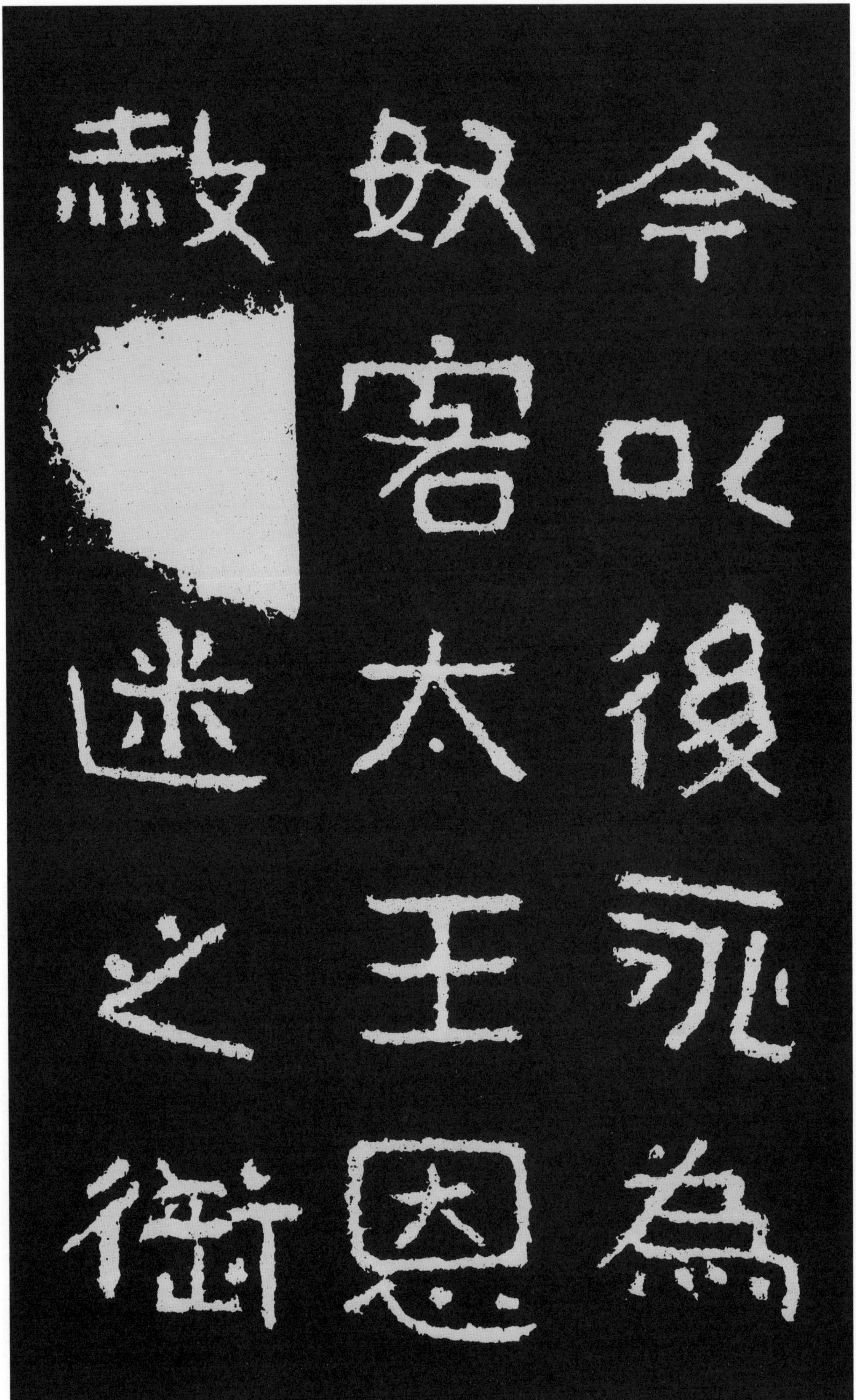

今以后永为　奴客太王恩　赦□迷之御

录其后顺之　诚于是□五　十八城村七

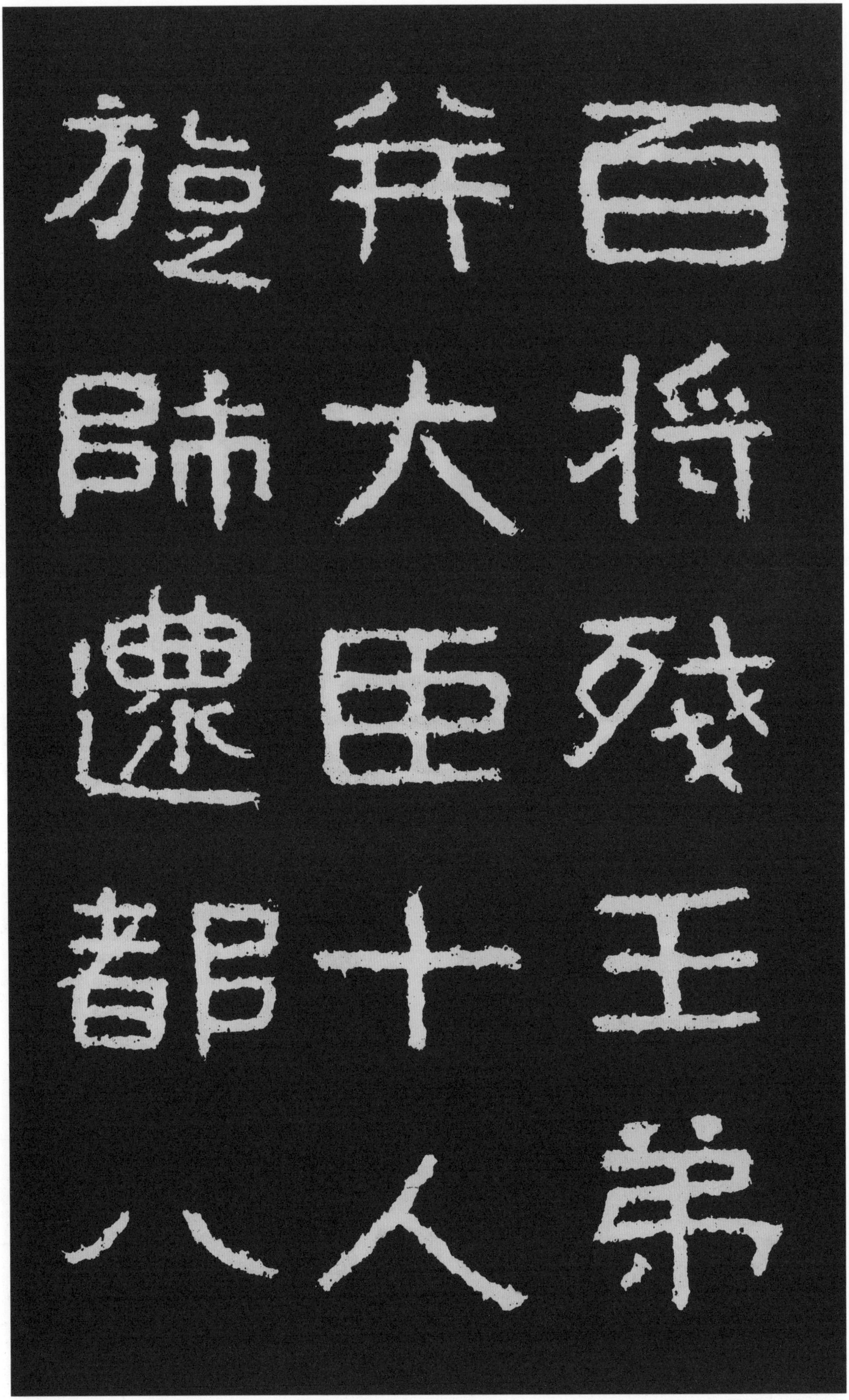

百将残王弟　并大臣十人　旋师还都八

年戊戌教遣　偏师观帛慎　土谷因便抄

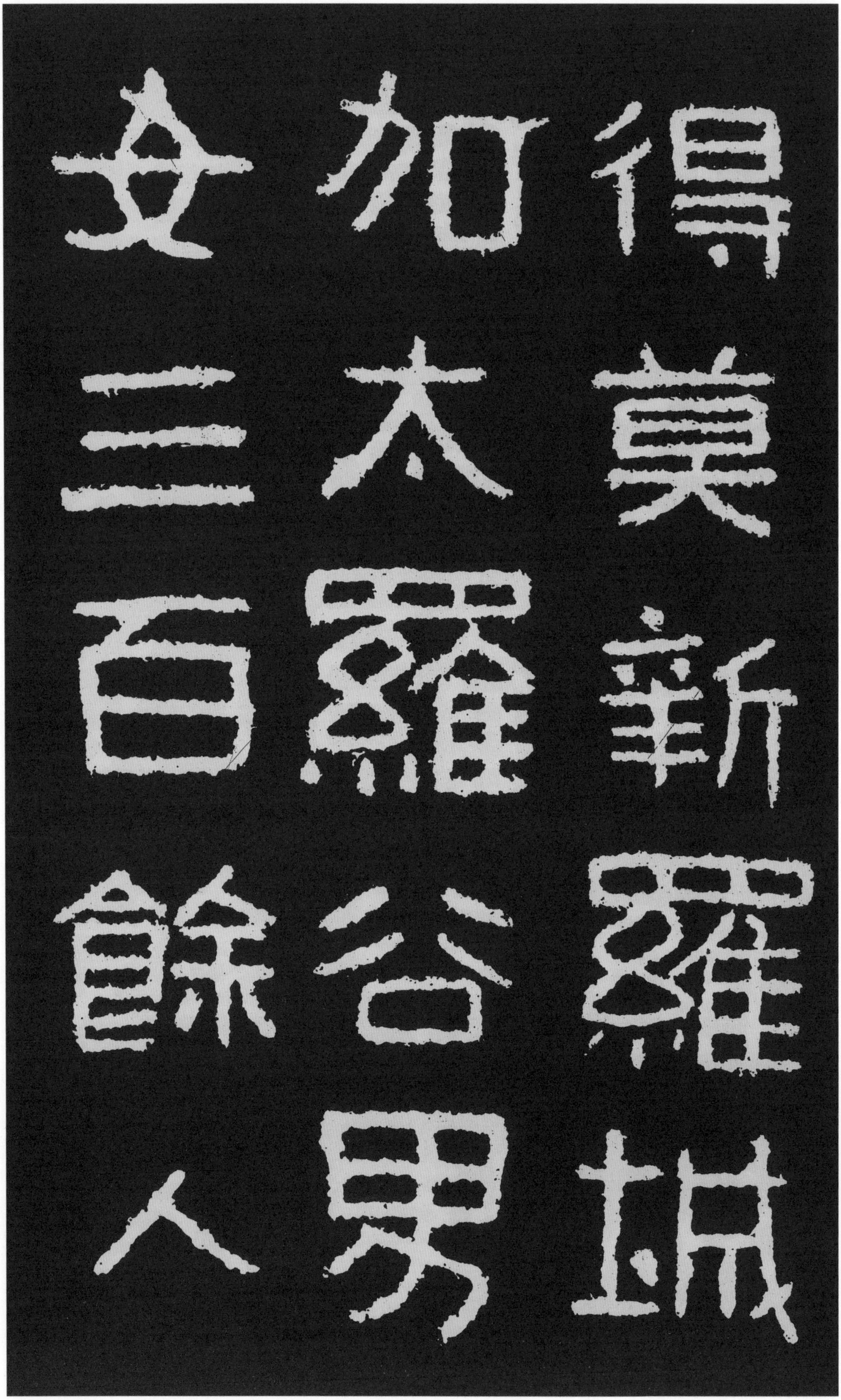
得莫新羅城
加太羅谷男
女三百餘人

得莫新罗城　加太罗谷男　女三百余人

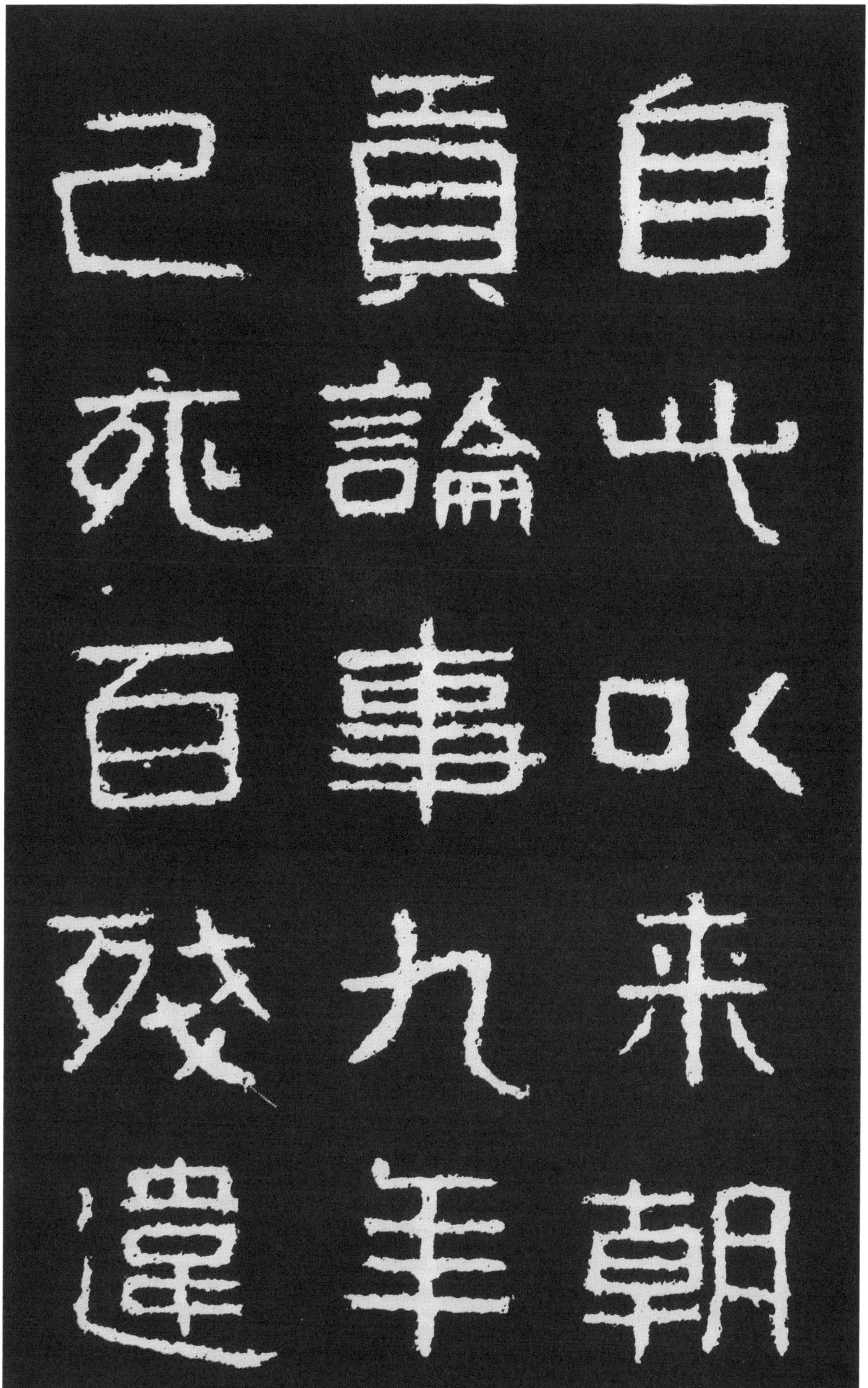

自此以来朝　贡论事九年　己死百残违

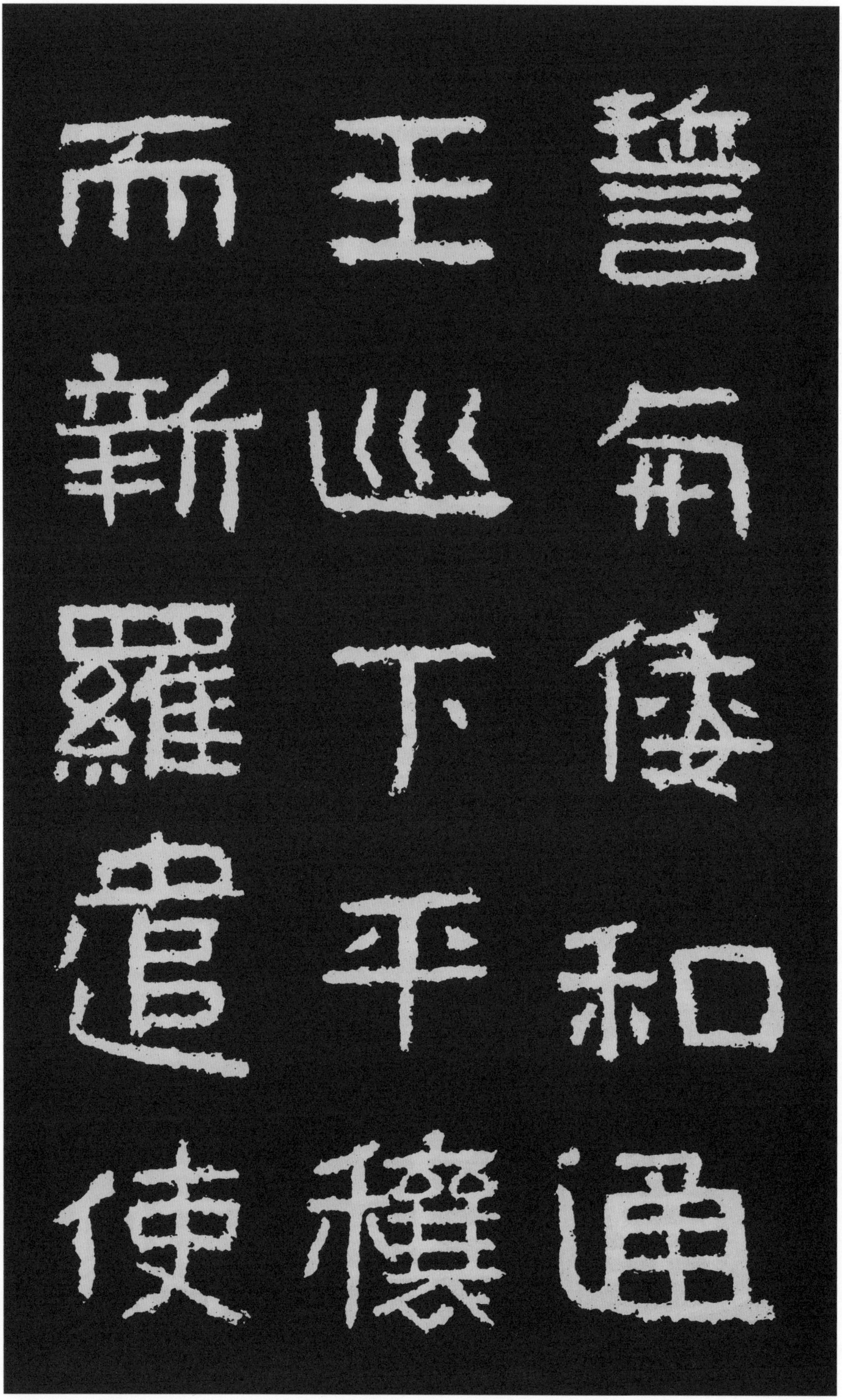

誓与倭和通　王巡下平穰　而新罗遣使

白王云倭人　满其国境溃　破城池以奴

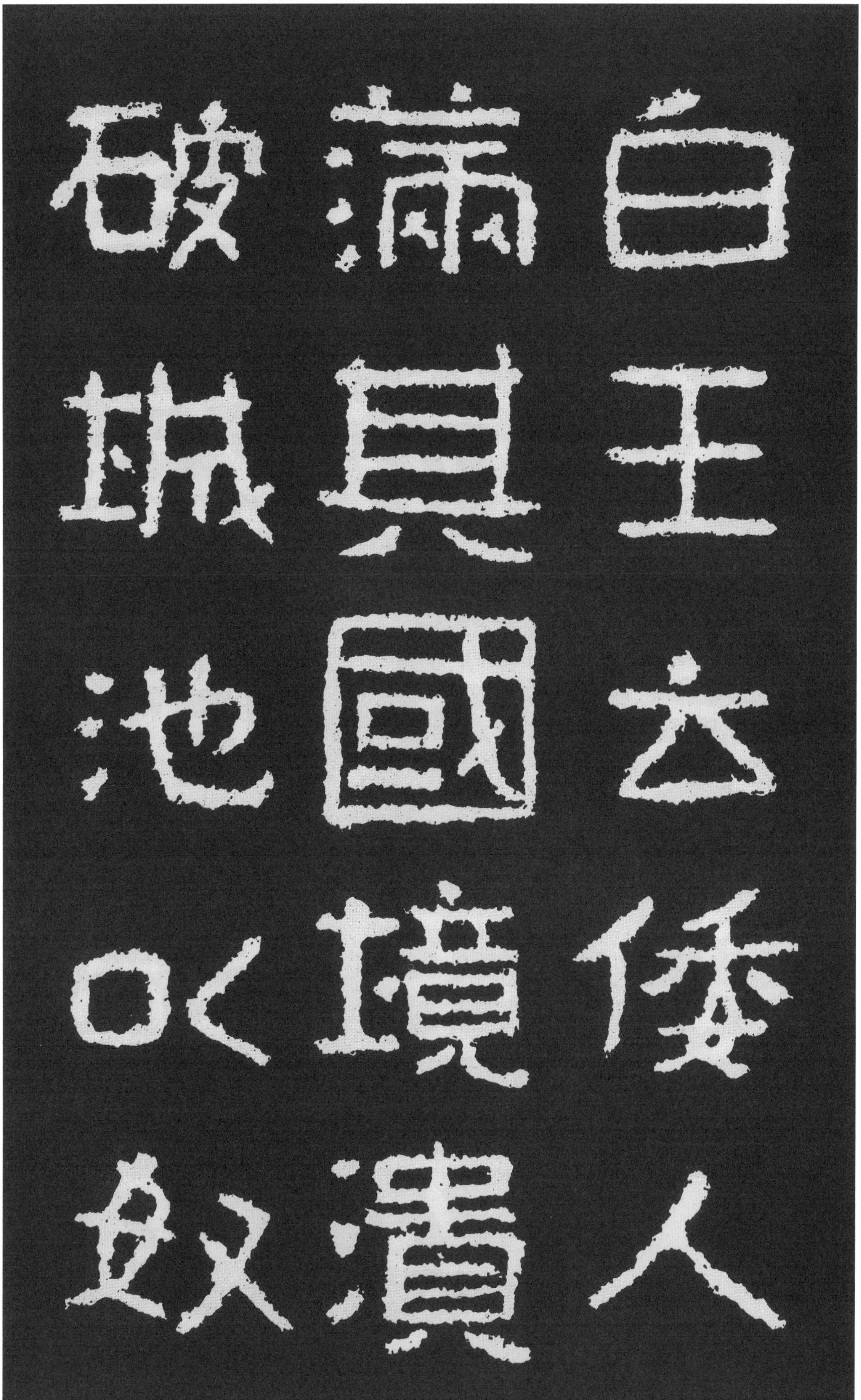

客为民归王　请命太王恩　后称其忠□

□违使还告　以□□年庚　子教遣步骑

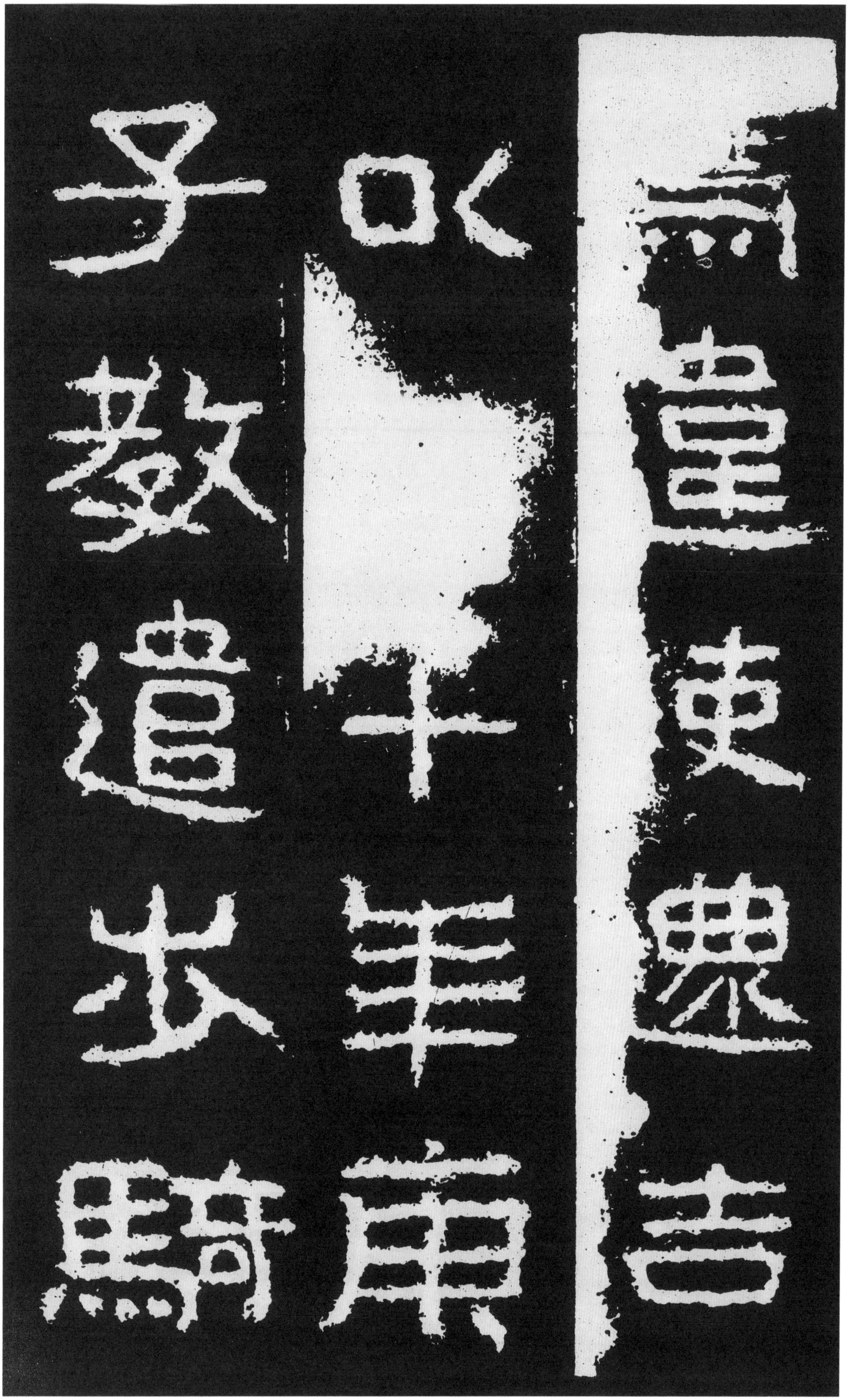

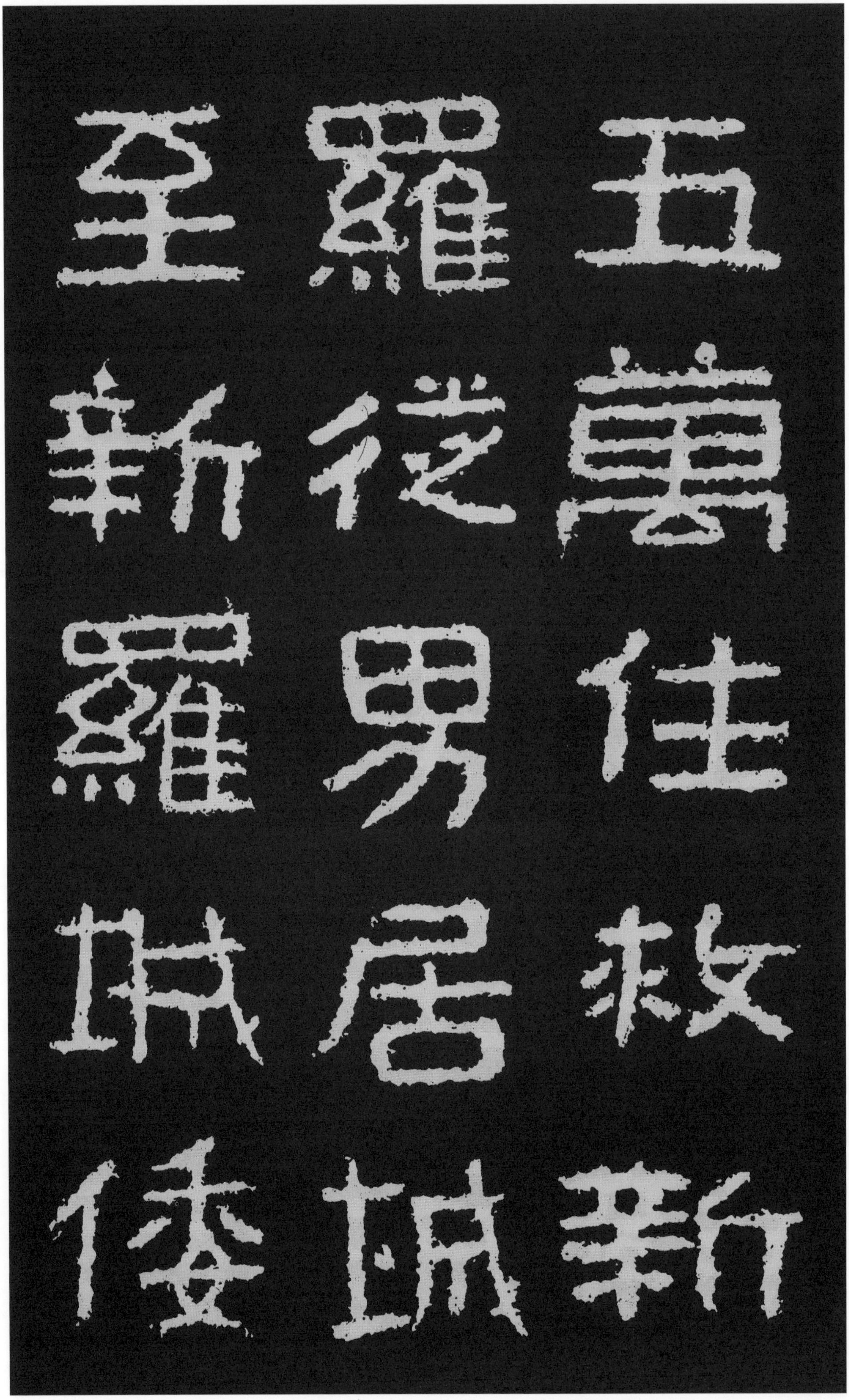

五万住救新　罗从男居城　至新罗城倭

满其中官兵　方至倭贼退　□来背息追

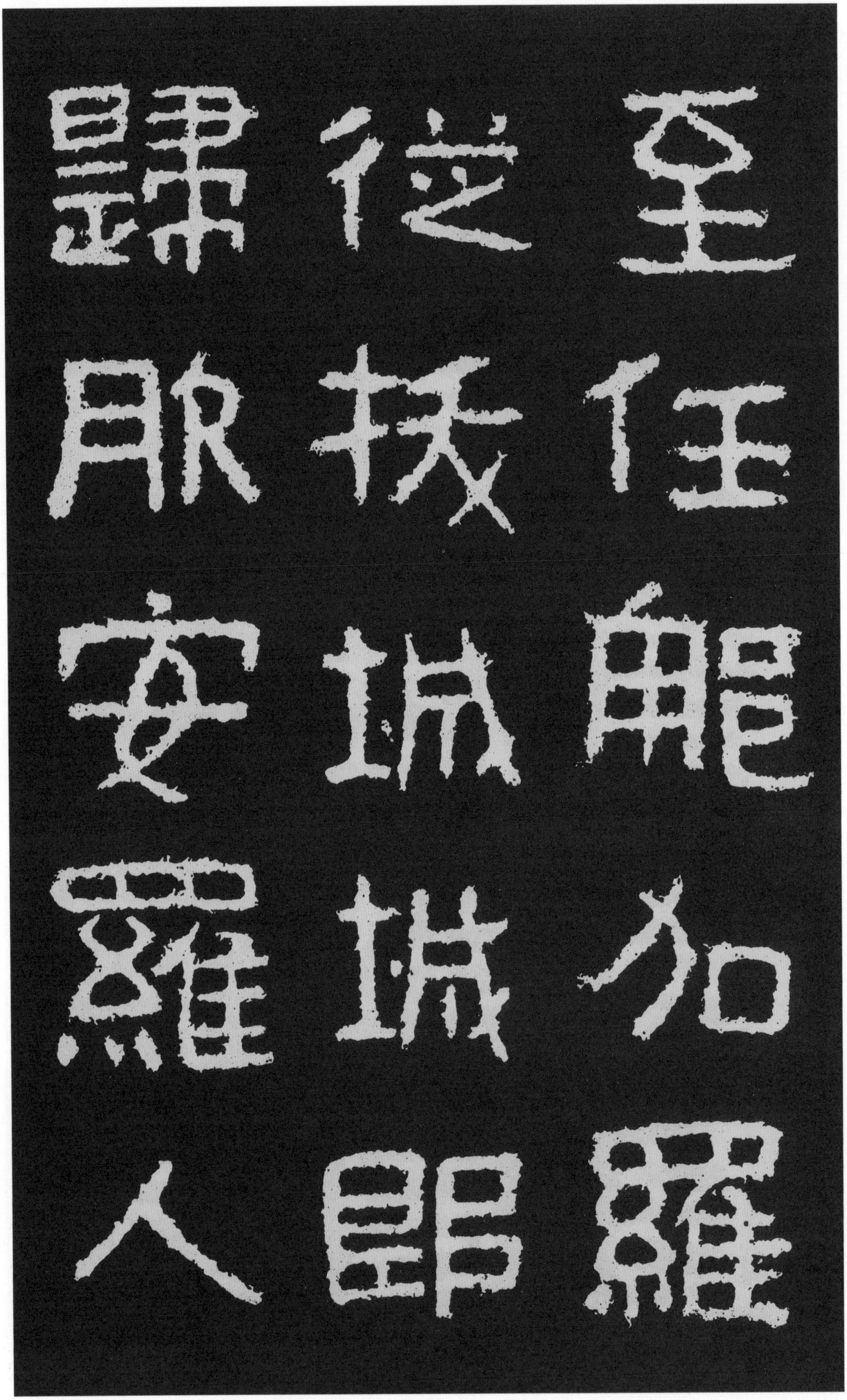

至任那加罗　从拔城城即　归服安罗人

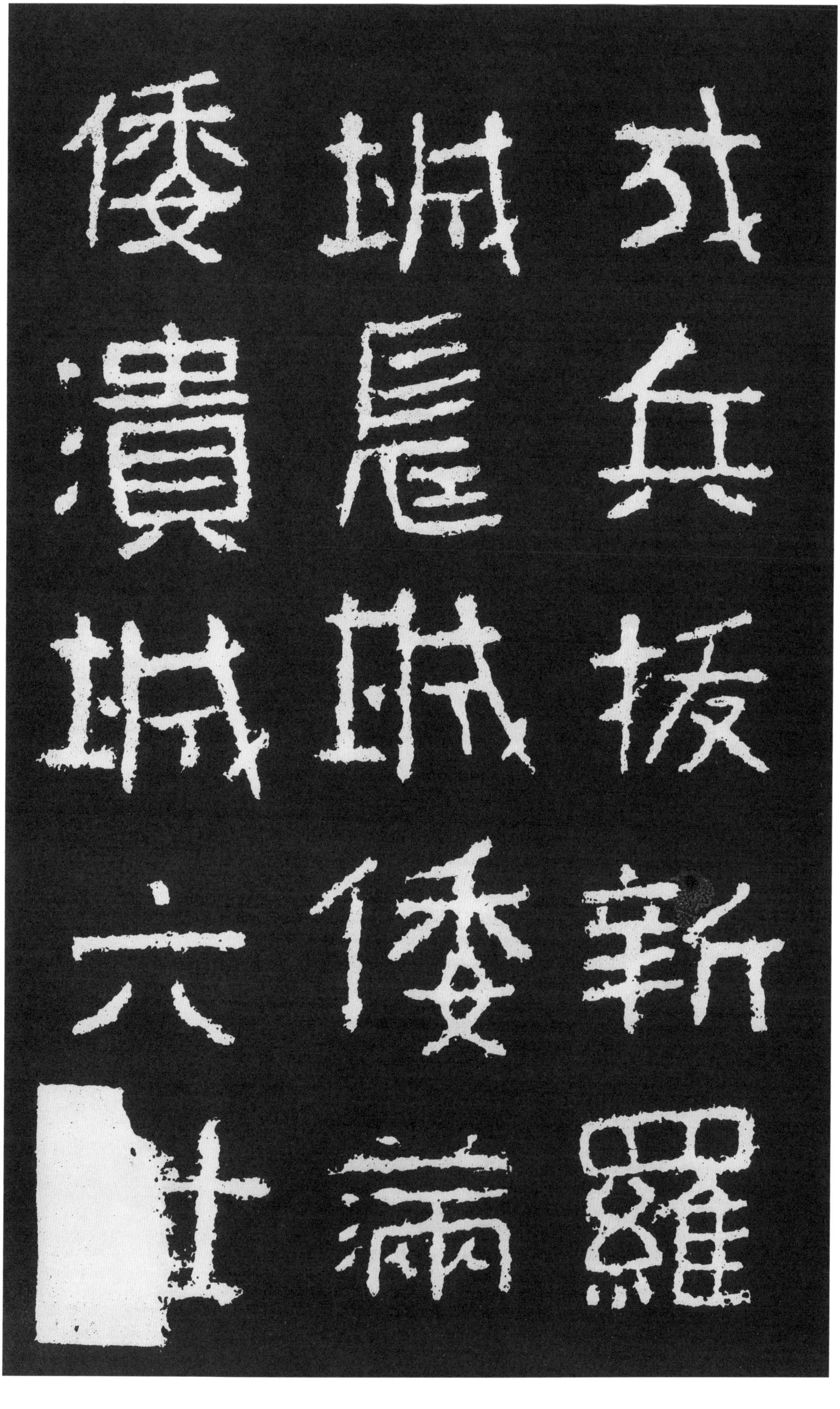

戎兵拔新罗 城长城倭满 倭溃城六□

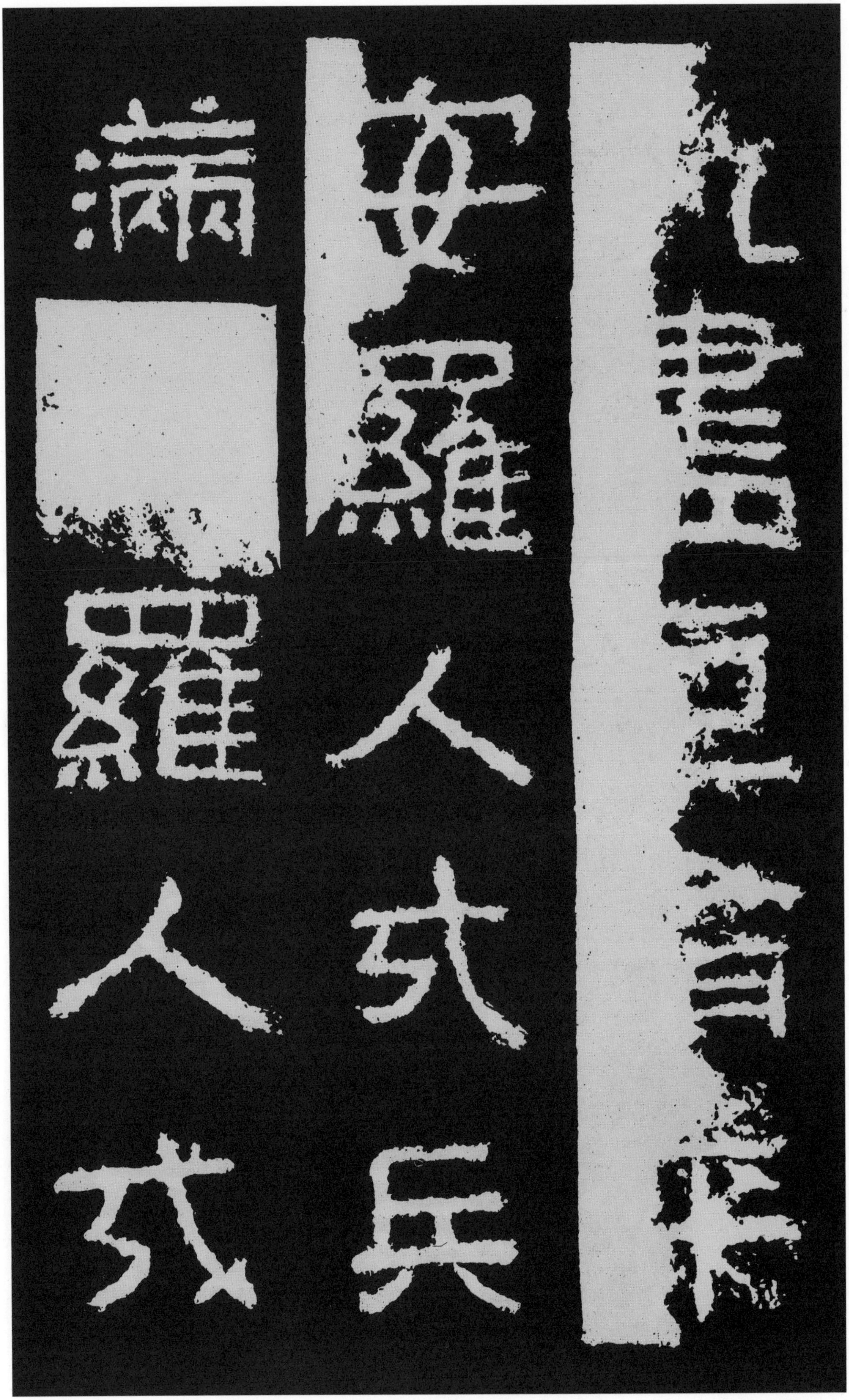

□尽□□□　安罗人戎兵　满□罗人戎

兵昔新罗□　锦末有身来　朝□□土境

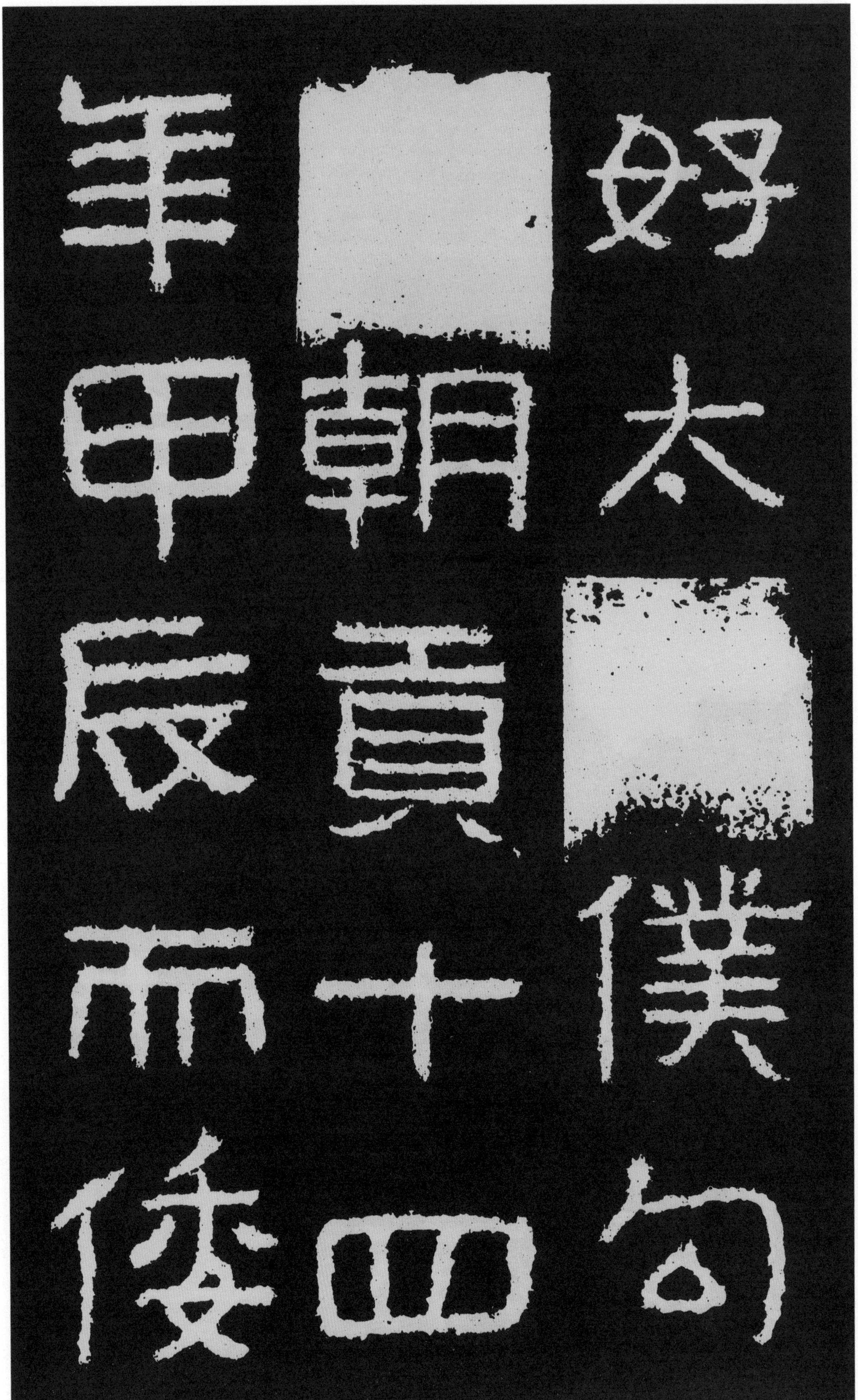

好太□仆勾　□朝贡十四　年甲辰而倭

不轨侵入带　方界□石城　□连船□平

穰□相遇王　憧要截汤剋　倭寇溃败斩

煞无数十七　年丁未教遣　步骑五万□

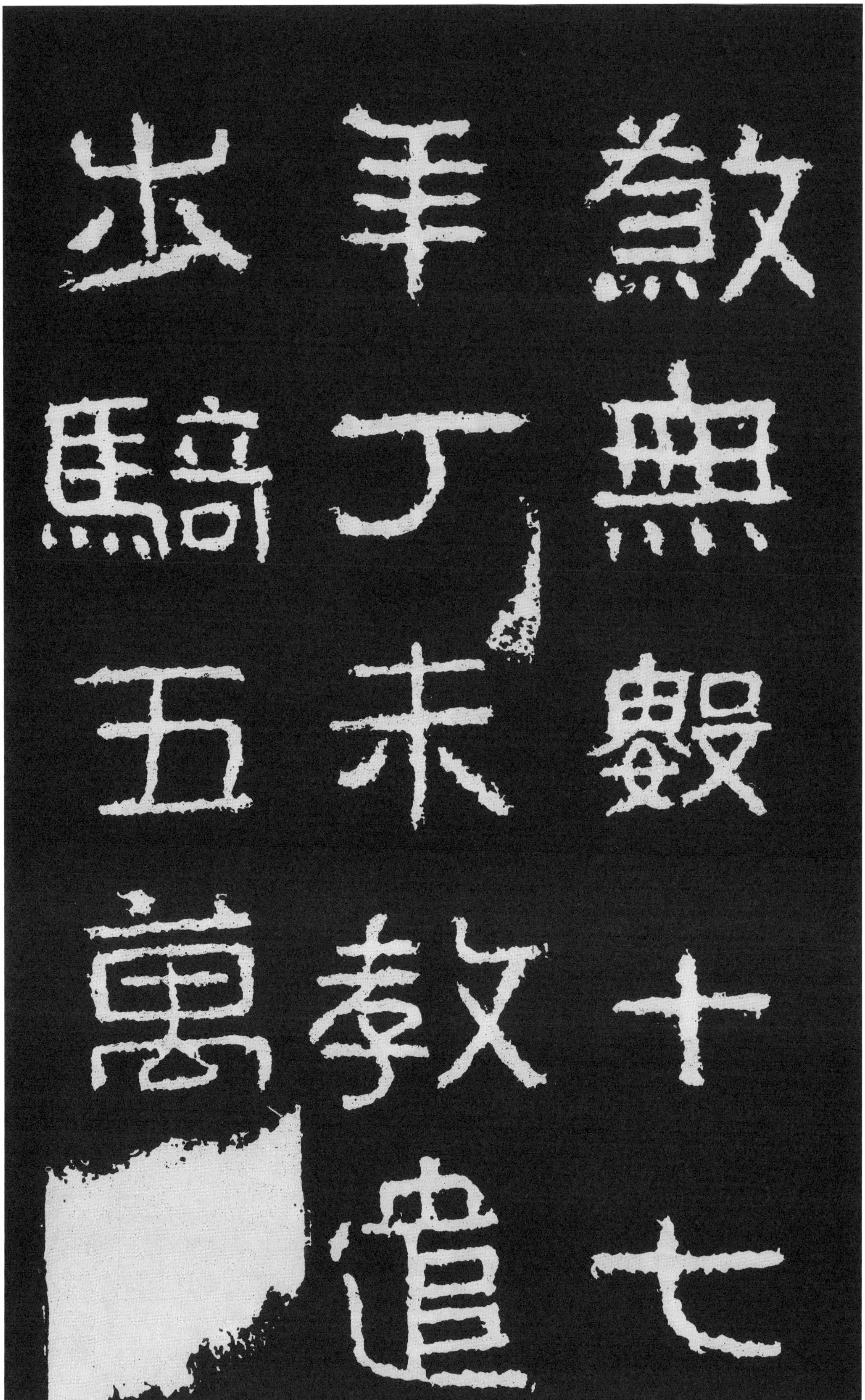

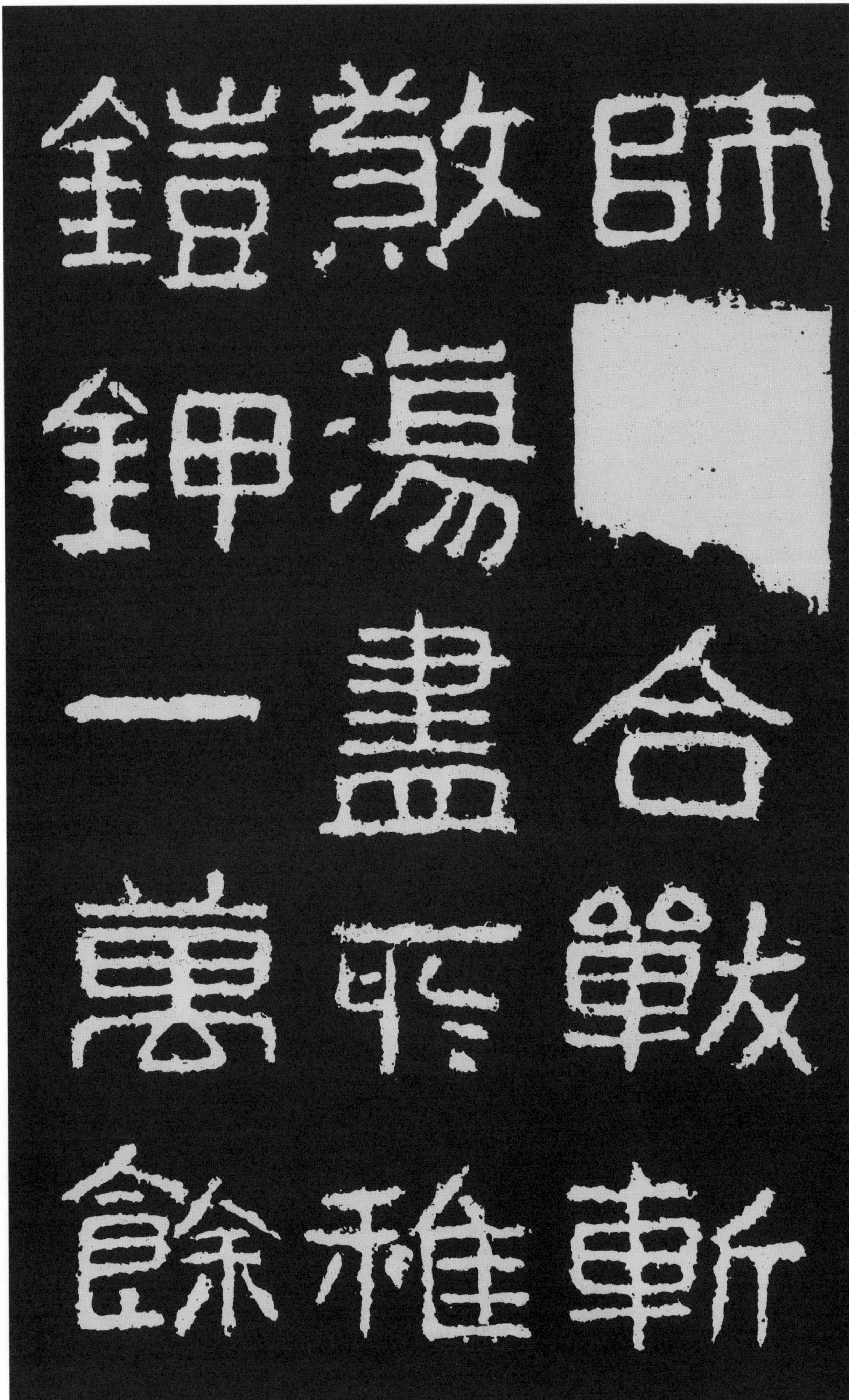

师□合战斩　煞汤尽所稚　铠钾一万余

领军资器械　不可称数还　破沙泮城娄

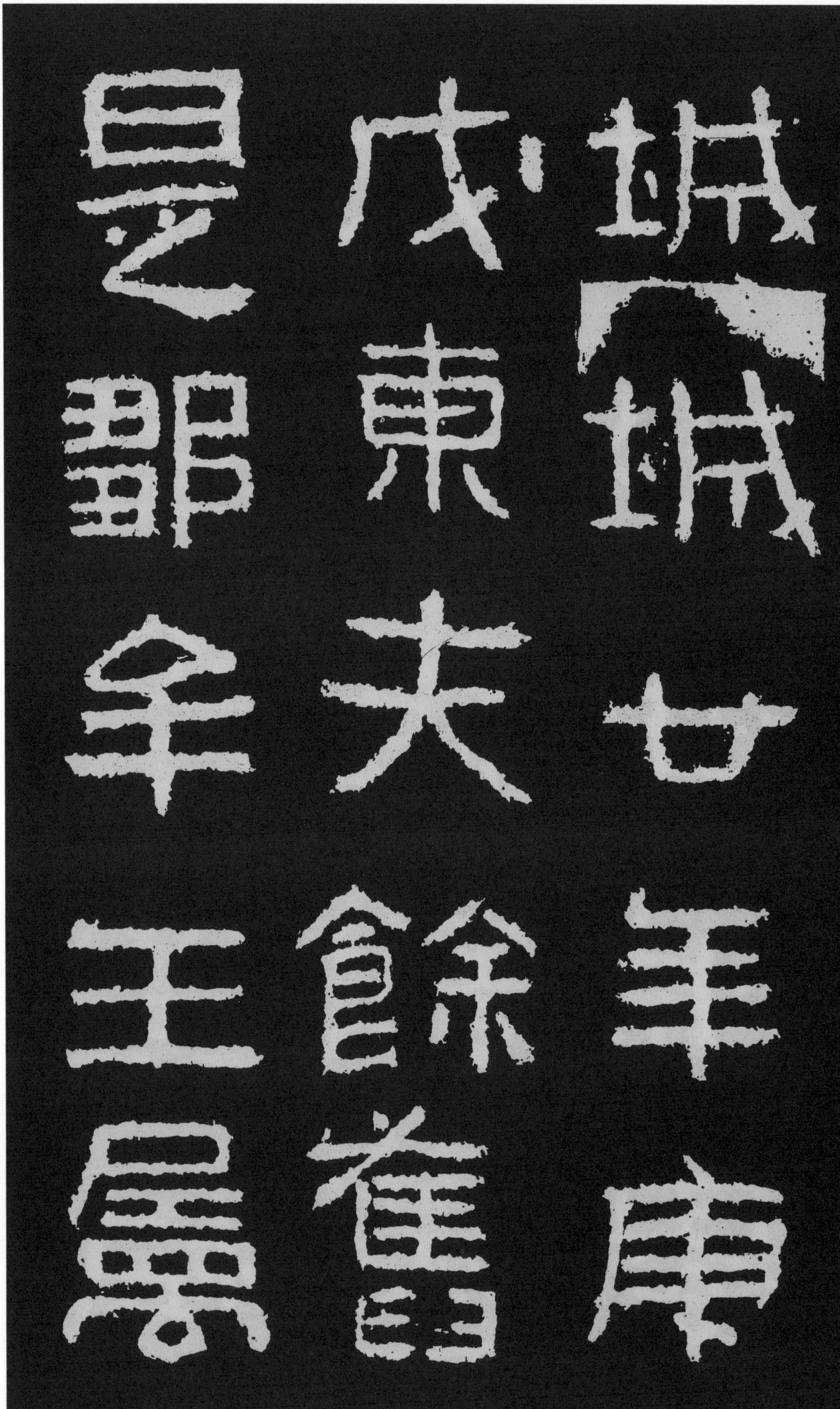

城城廿年庚　戊东夫余旧　是邹牟王属

民中叛不贡　王躬率住讨　军到余城而

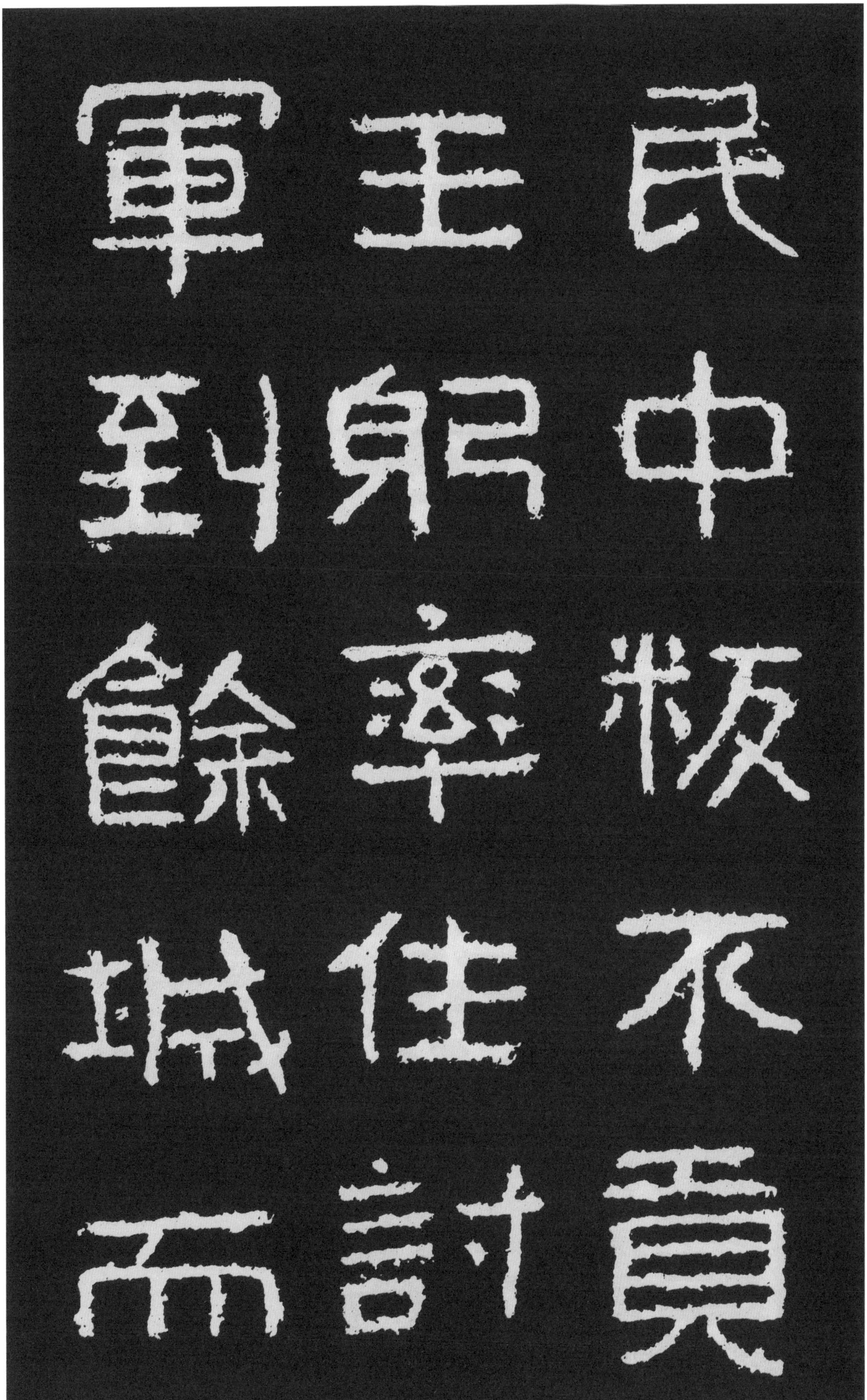

余城国骈□ 王恩普处于 是旋还又其

慕化隋官来　者味仇娄鸭　卢卑斯麻鸭

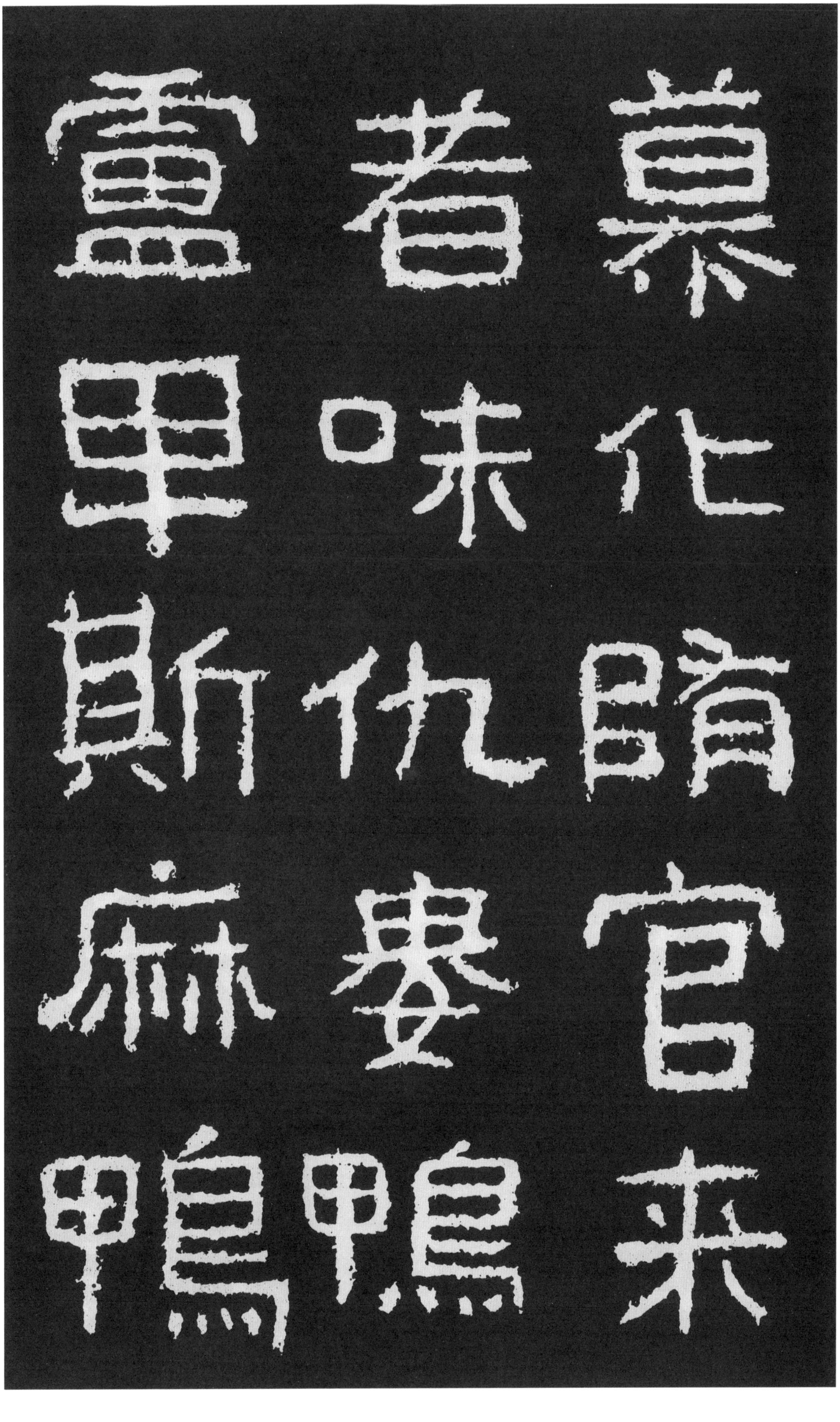

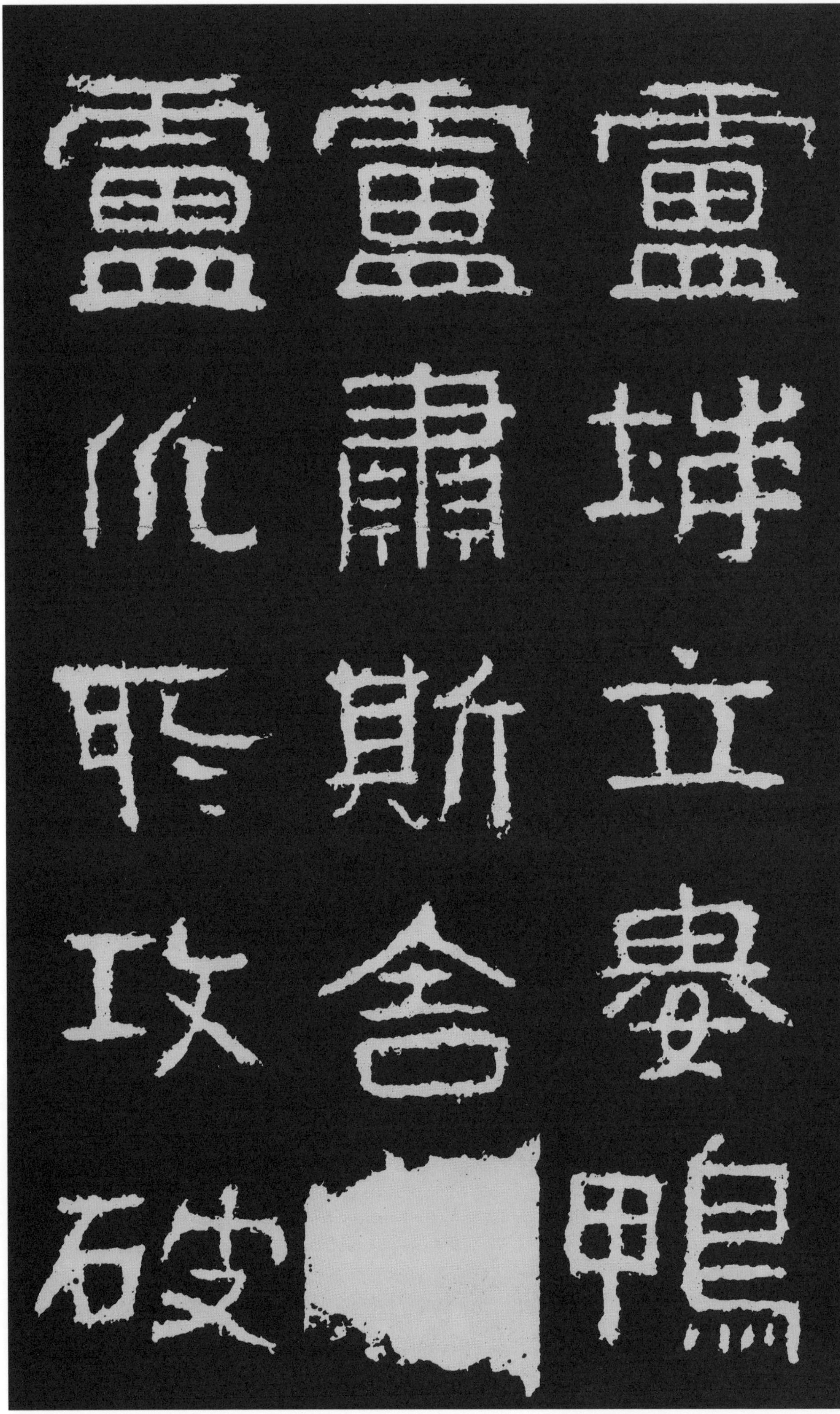

卢城立娄鸭　卢肃斯舍□　卢凡取攻破

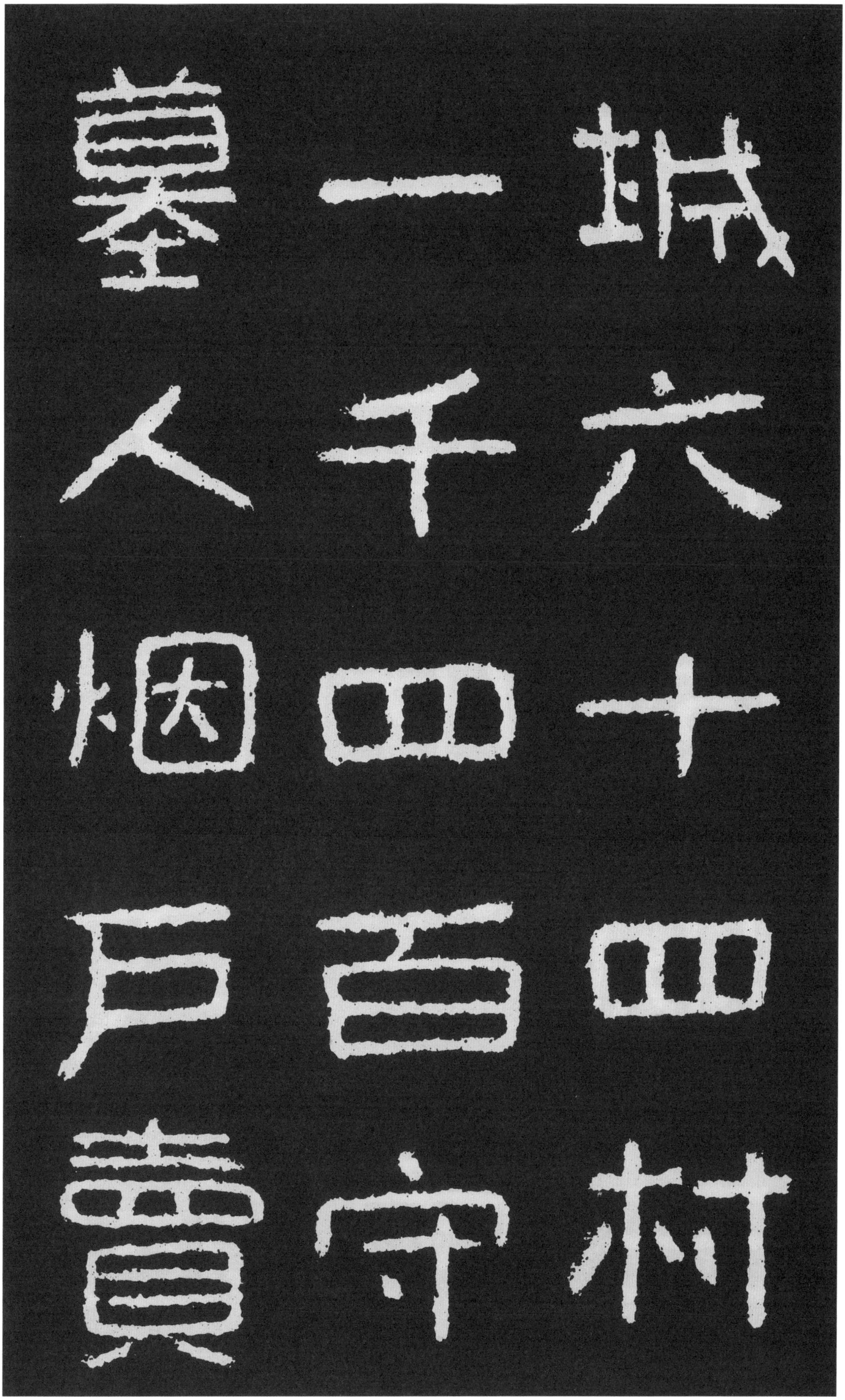

城六十四村　一千四百守　墓人烟户卖

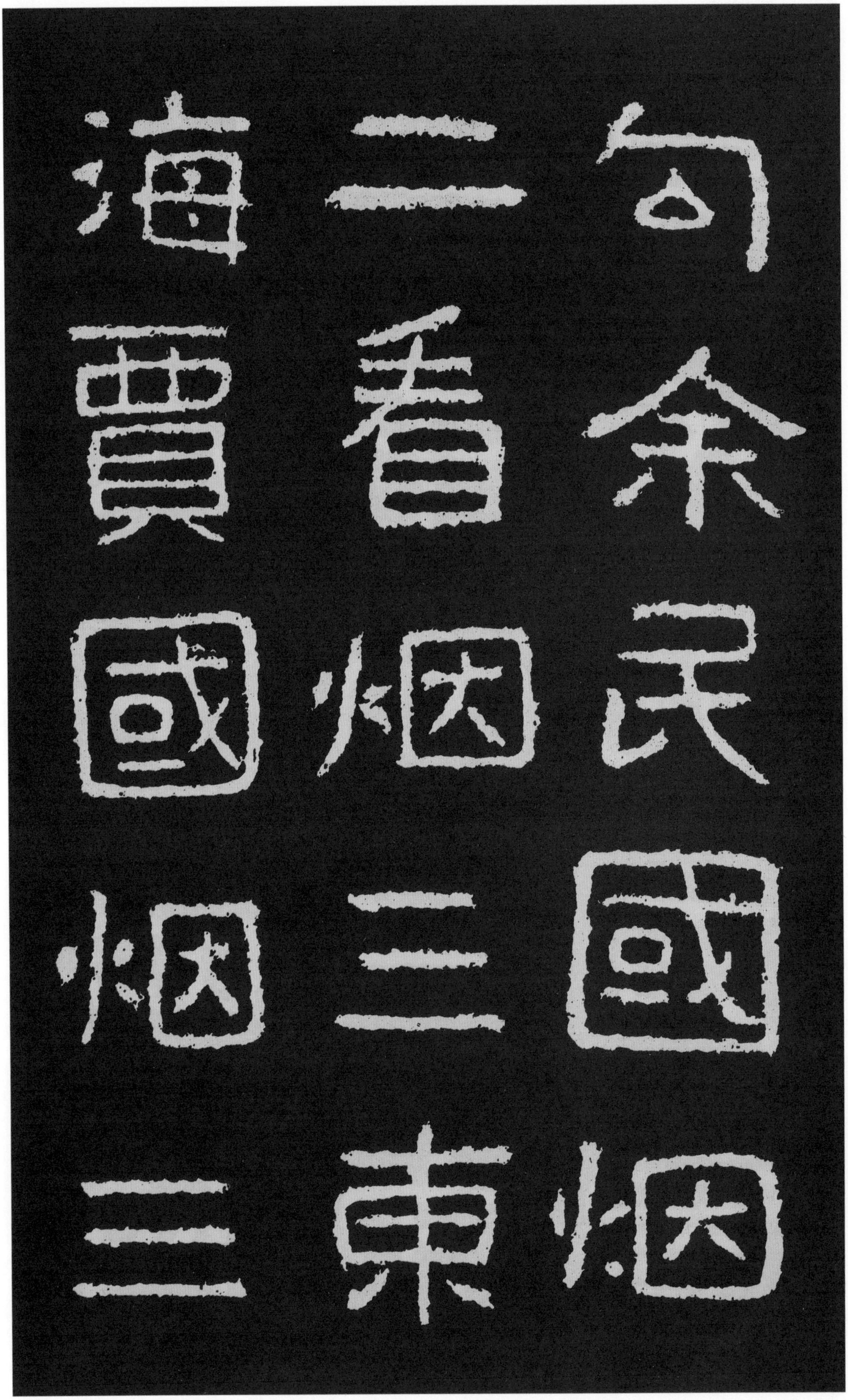

勾余民国烟　二看烟三东　海贾国烟三

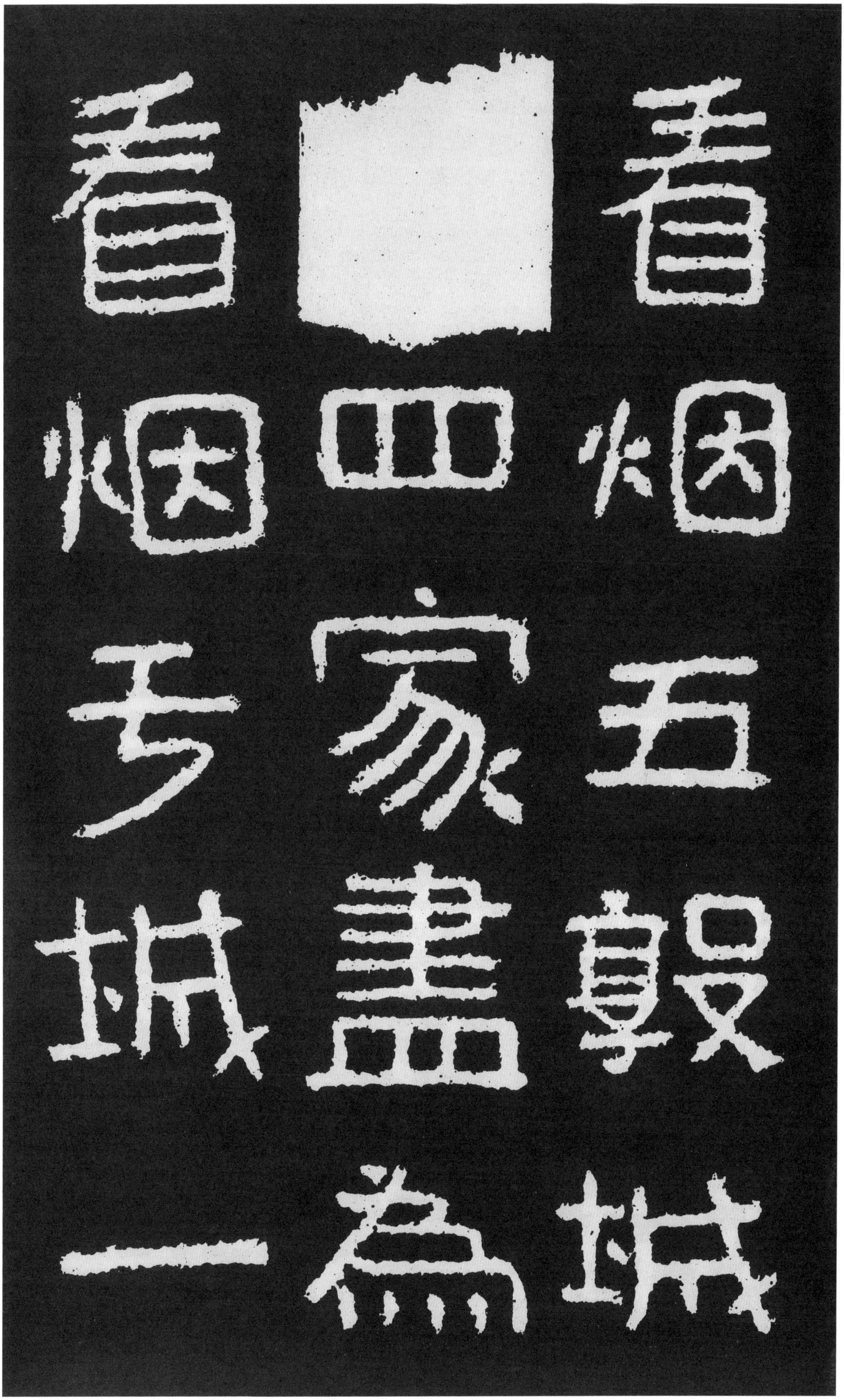

看烟五敦城 □四家尽为 看烟于城一

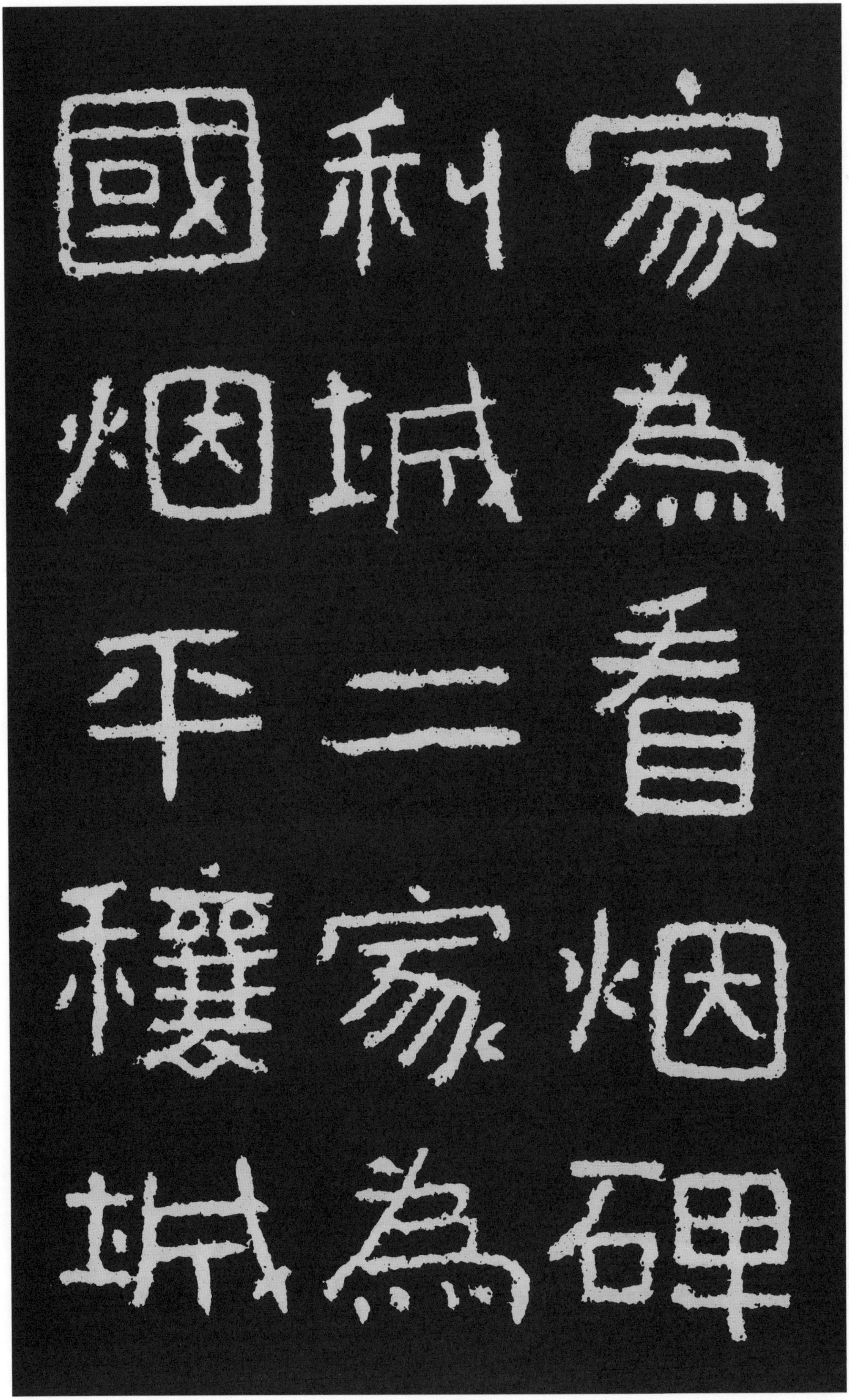

家为看烟碑　利城二家为　国烟平穰城

民国烟一看　烟十或连二　家为看烟住

民國烟一看
烟十或連二
家為看烟住

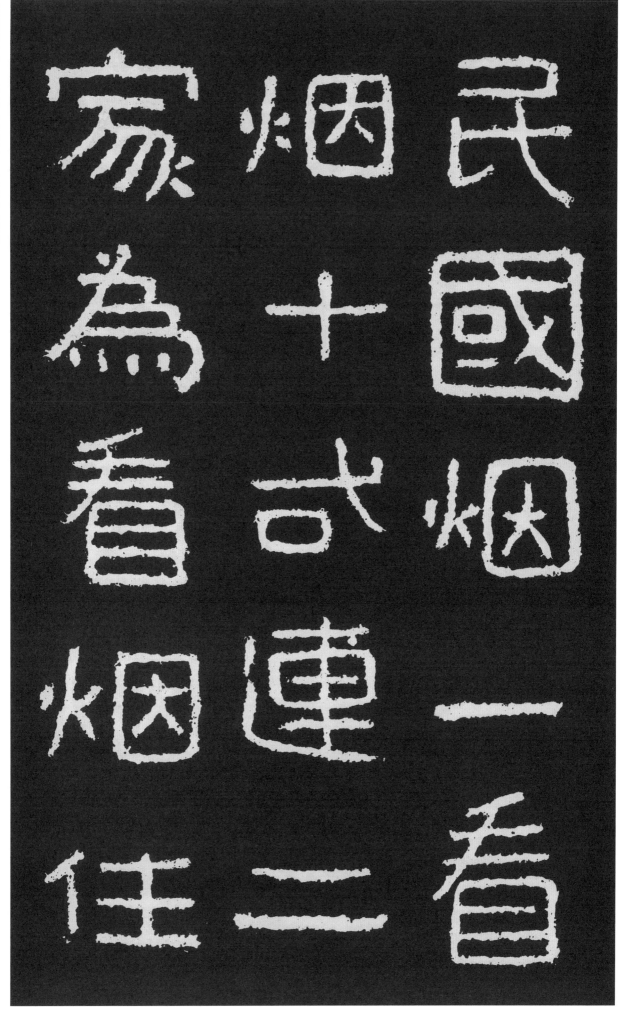

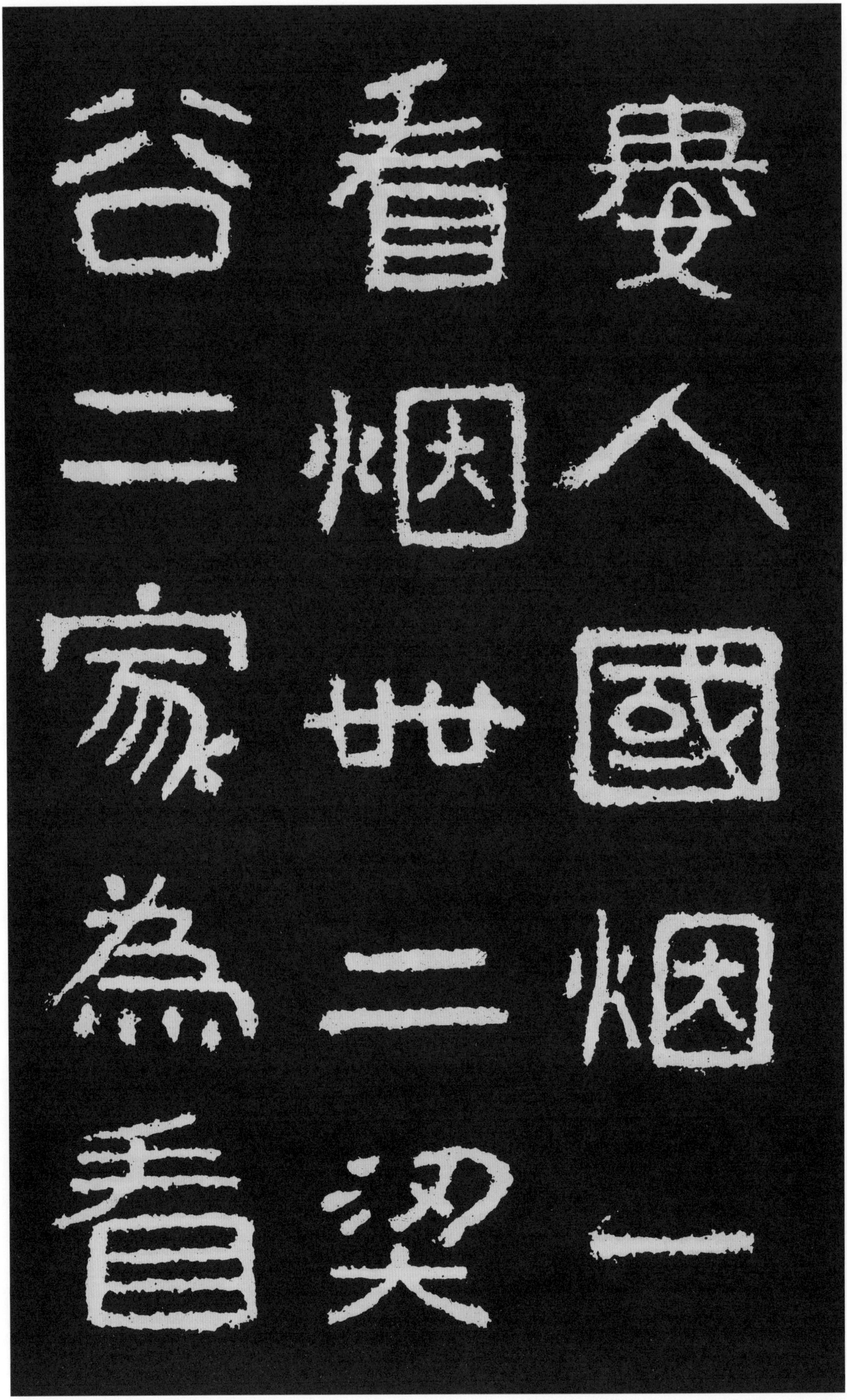

娄人国烟一　看烟卌二溪　谷二家为看

烟溪城二家　为看烟安夫　连廿二家为

看烟改谷三　家为看烟新　城三家为看

烟南苏城一　家为国烟新　来韩秽沙水

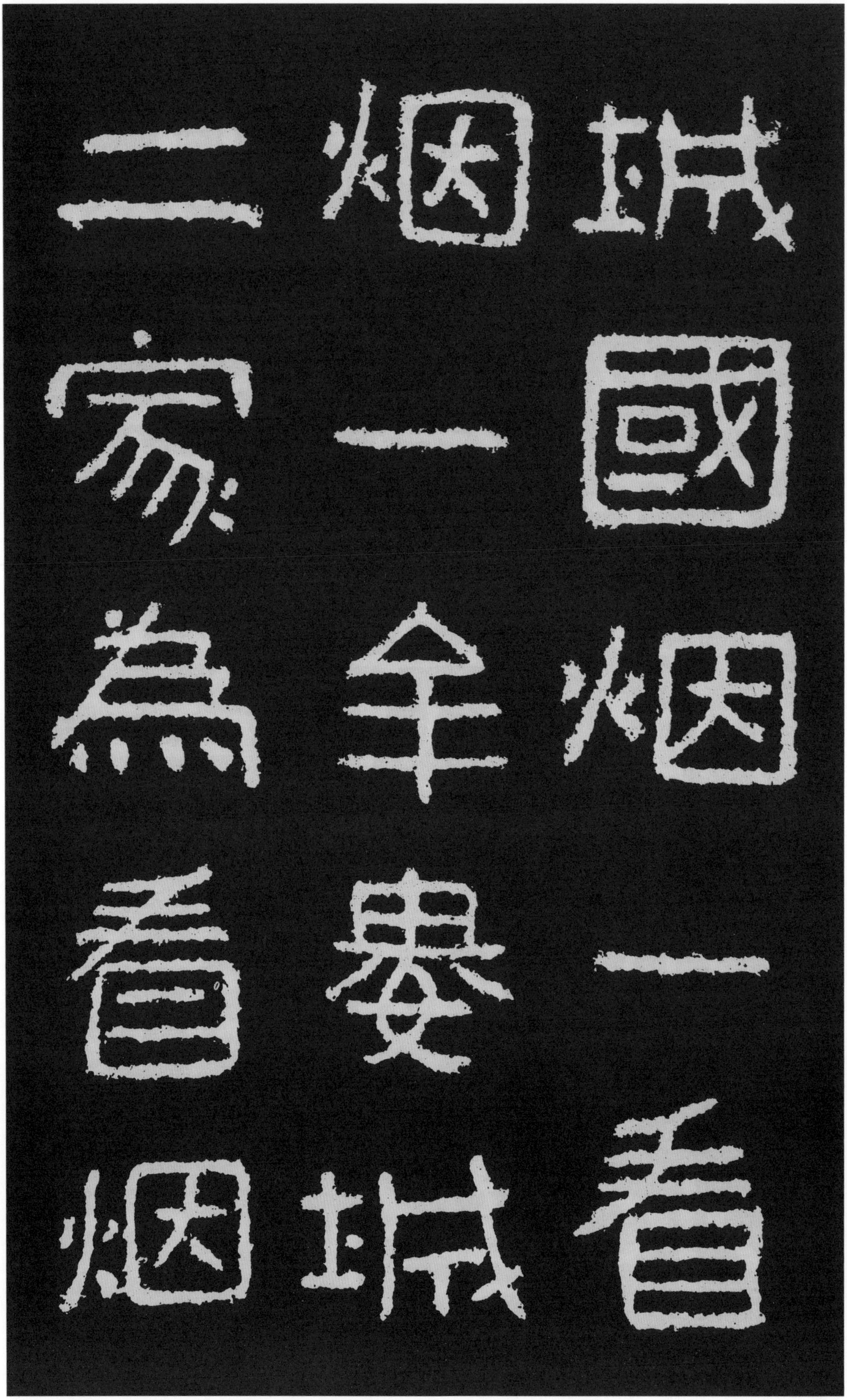

城国烟一看　烟一年娄城　二家为看烟

豆比鸭岑韩　五家为看□　勾牟客头二

家為看烟永

底韓一家為

看烟舍蔦城

家为看烟永　底韩一家为　看烟舍茑城

韩秽国烟三　看烟廿一古　家耶罗城一

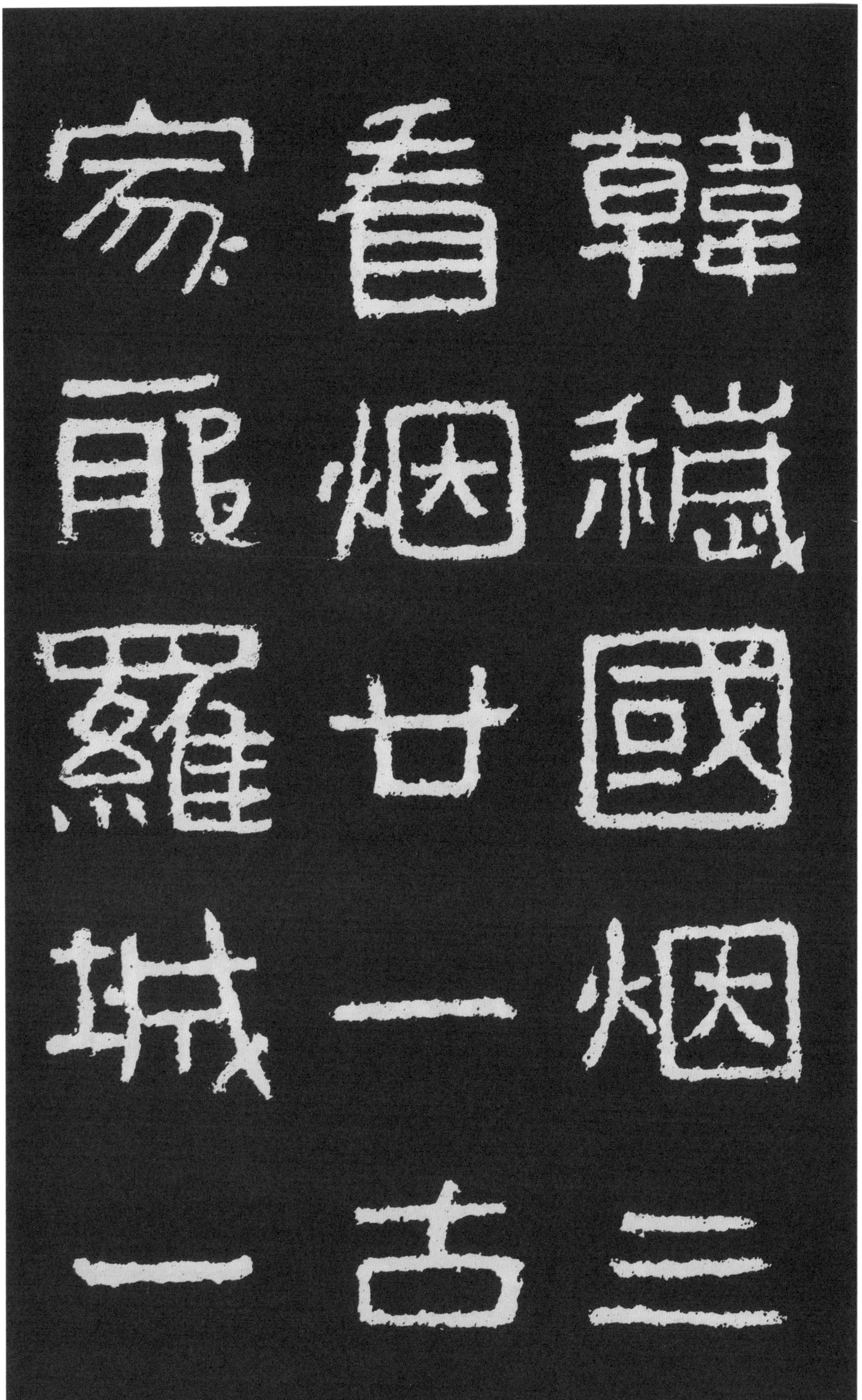

韓穢國烟三
看烟廿一古
家耶羅城一

家为看烟炅　古城国烟一　看烟三客贤

韩一家为看　烟阿旦城杂　珍城合十家

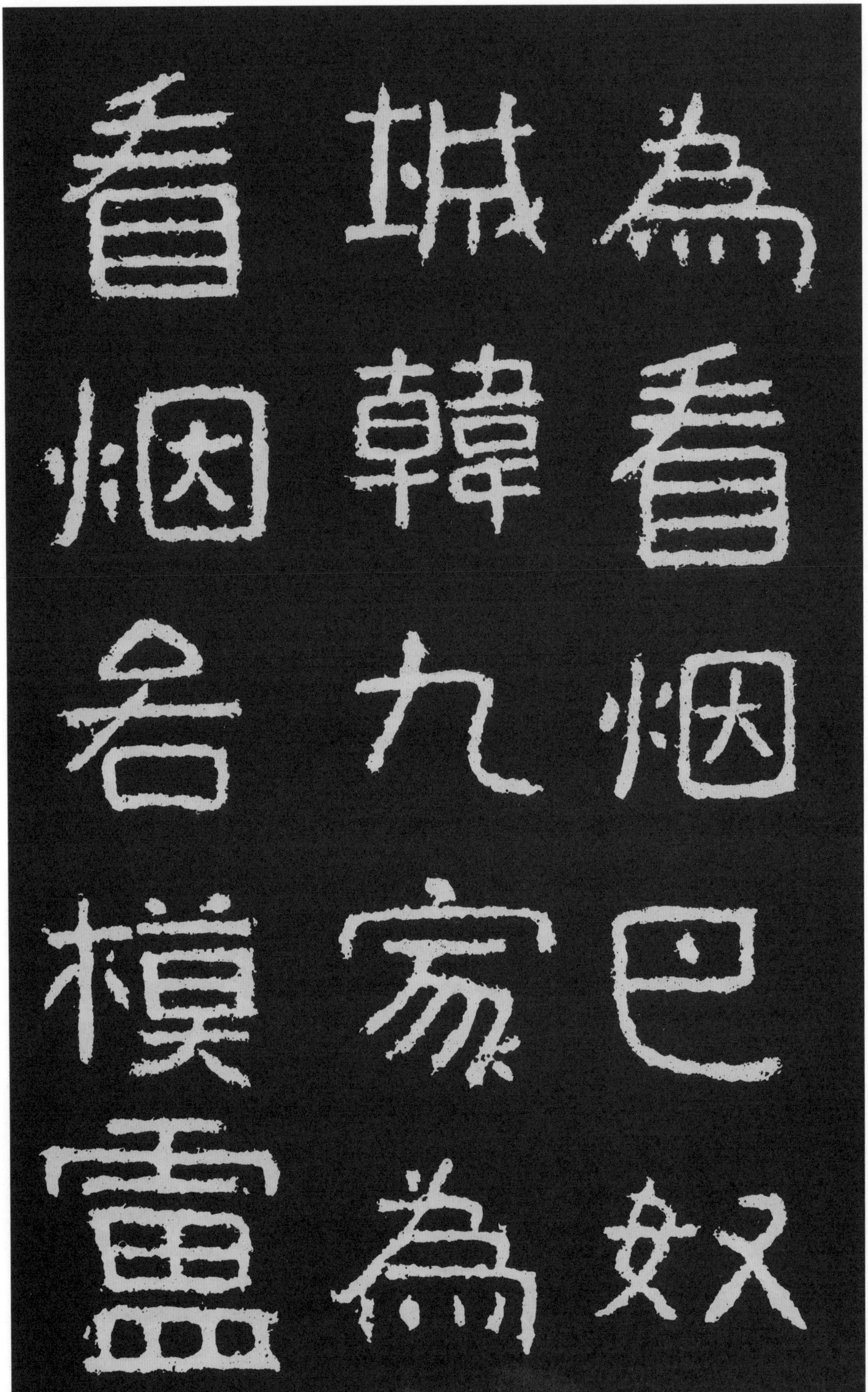

为看烟巴奴　城韩九家为　看烟若模卢

城四家为看　烟若模卢城　二家为看烟

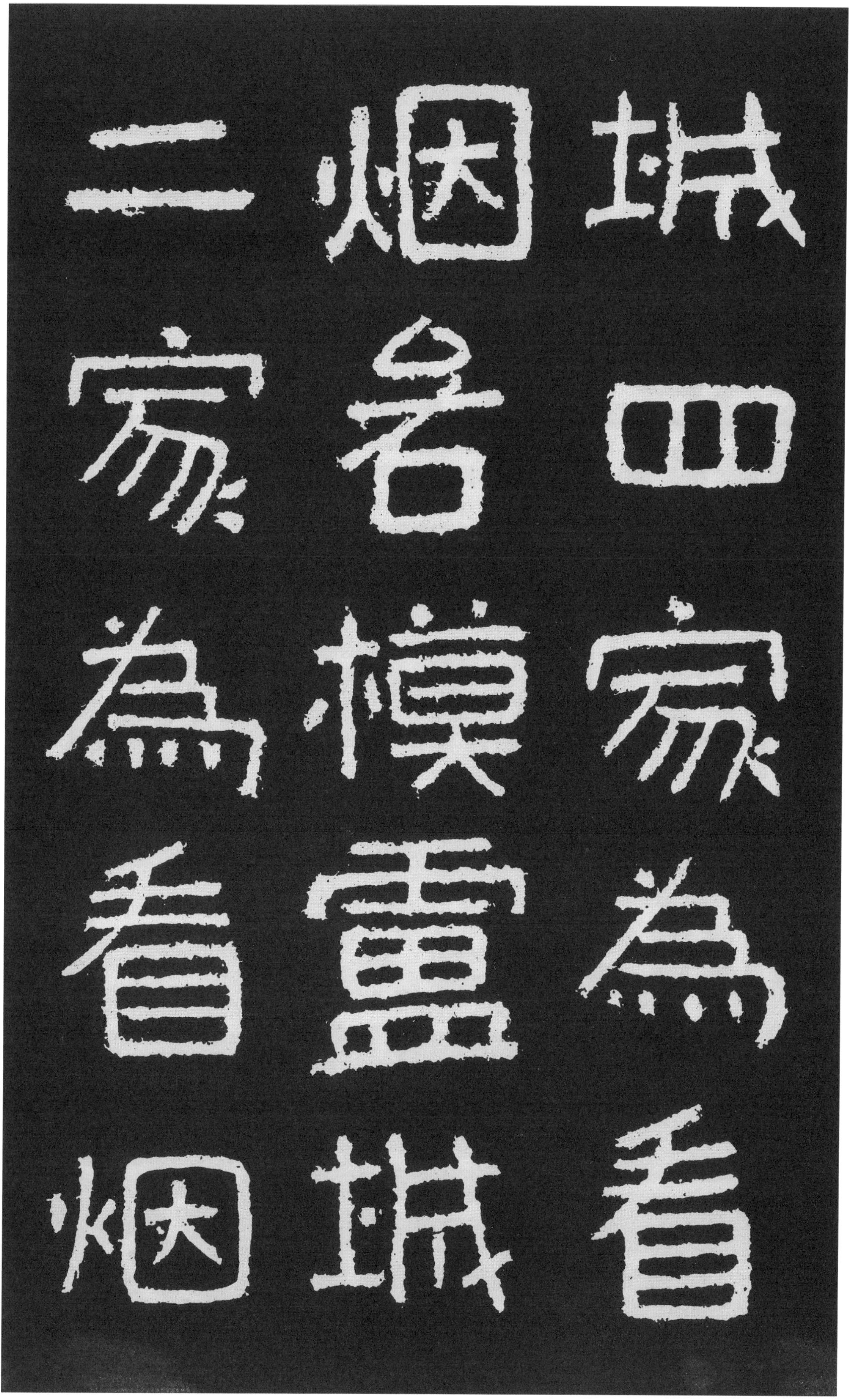

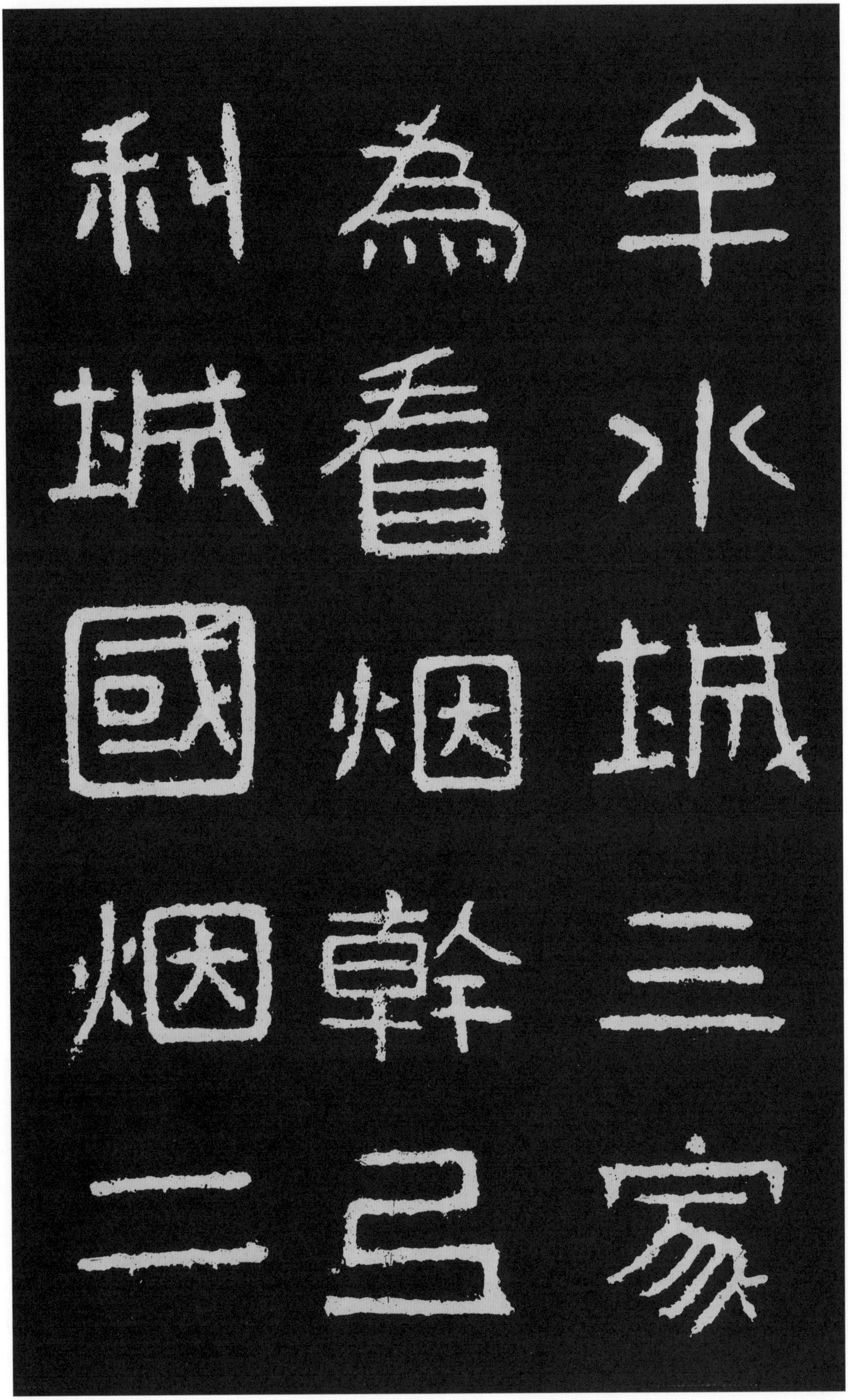

牟水城三家　为看烟干弓　利城国烟二

看烟三□□　城国烟六看　烟□三家为

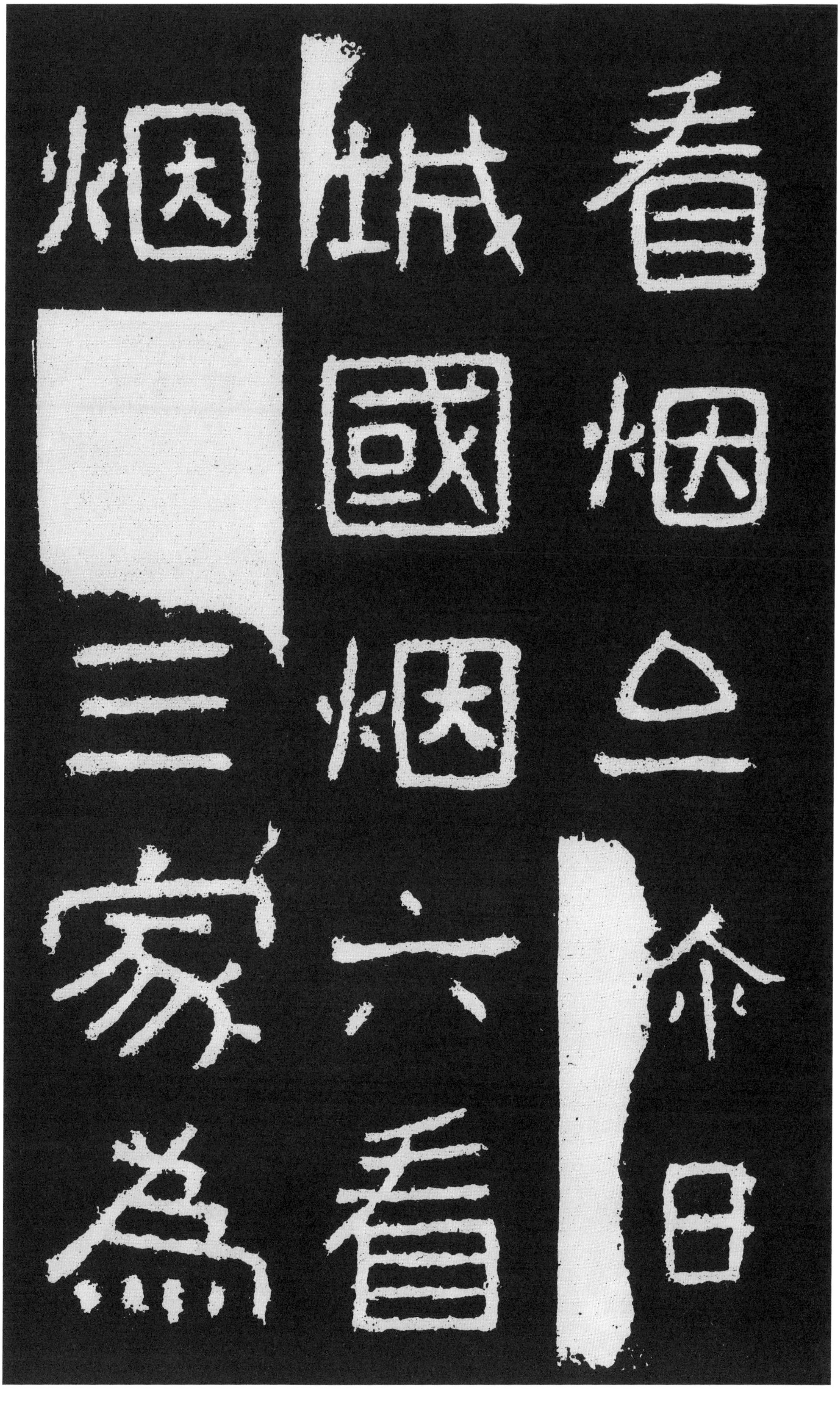

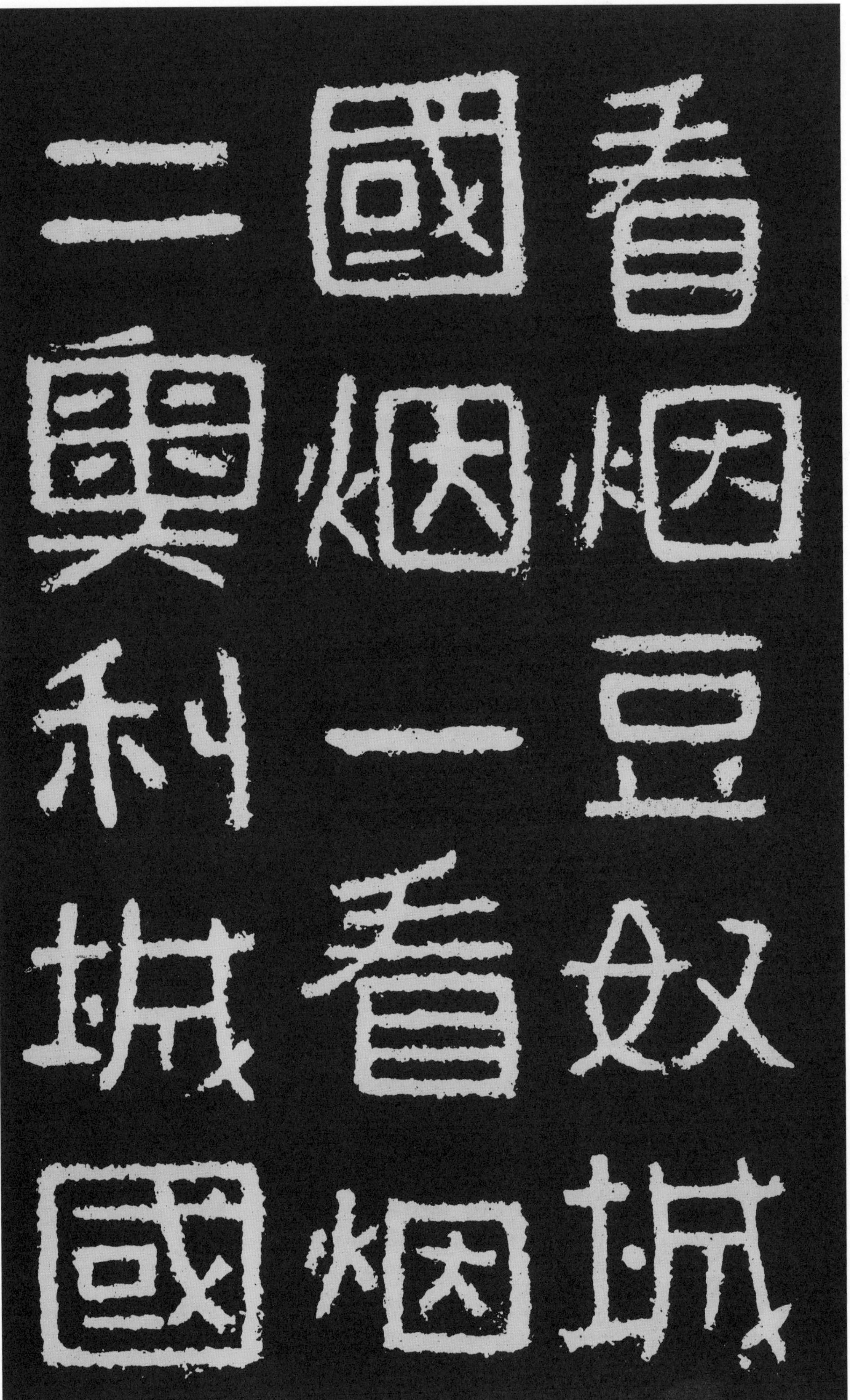

看烟豆奴城　国烟一看烟　二奥利城国

烟二看烟八　须邹城国烟　二看烟五百

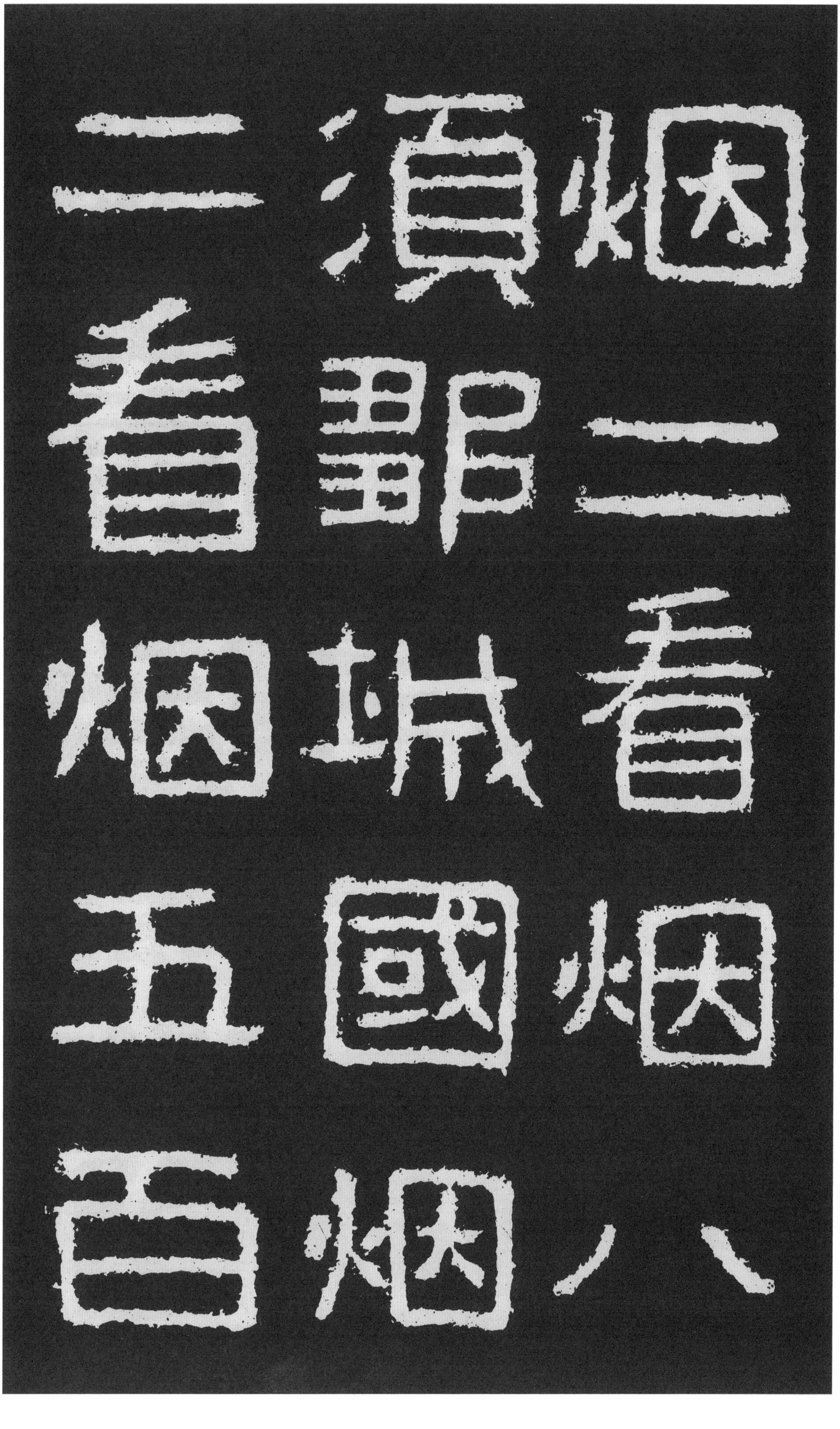

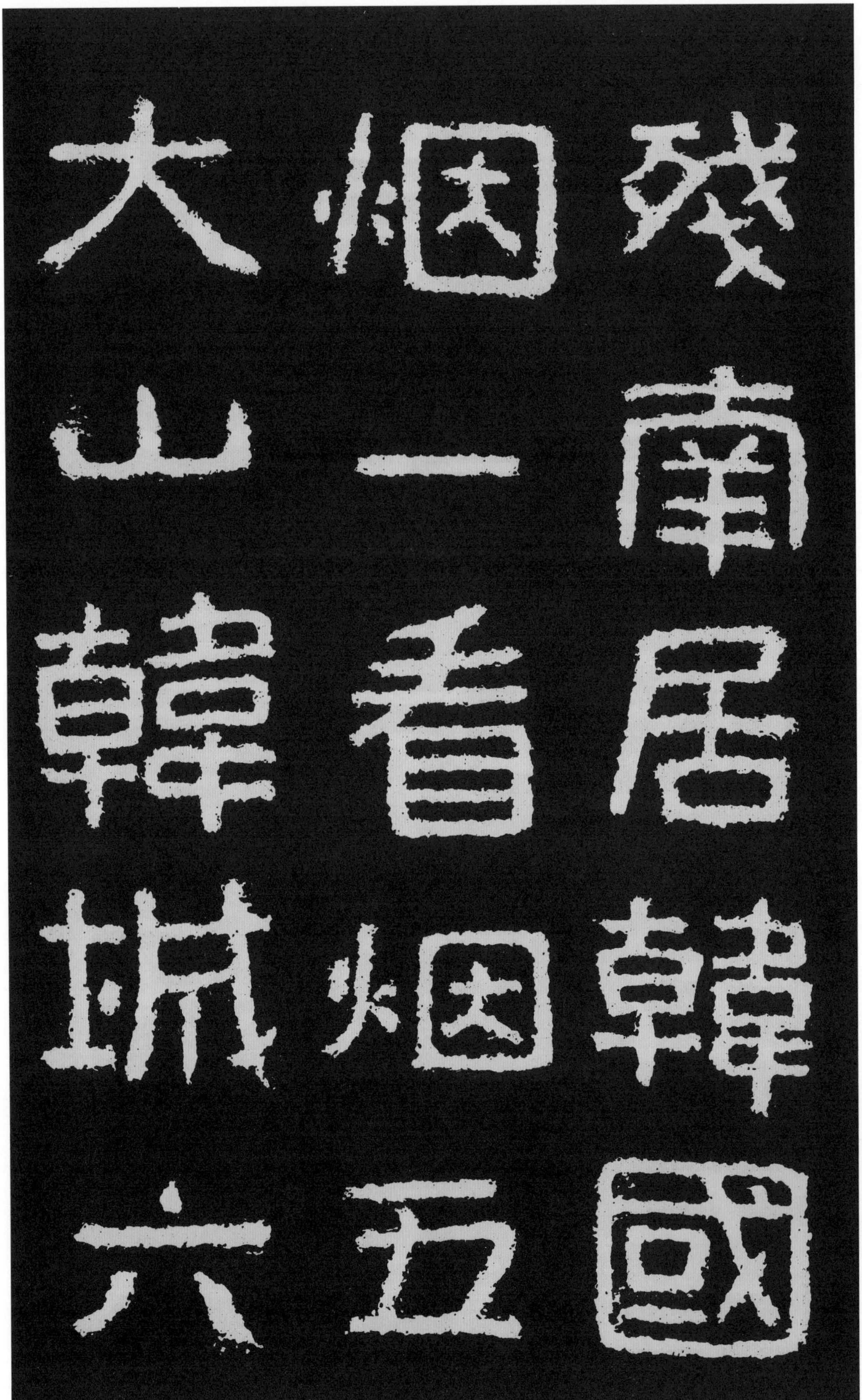

残南居韩国　烟一看烟五　大山韩城六

家为看烟农　卖城国烟一　看烟一闰奴

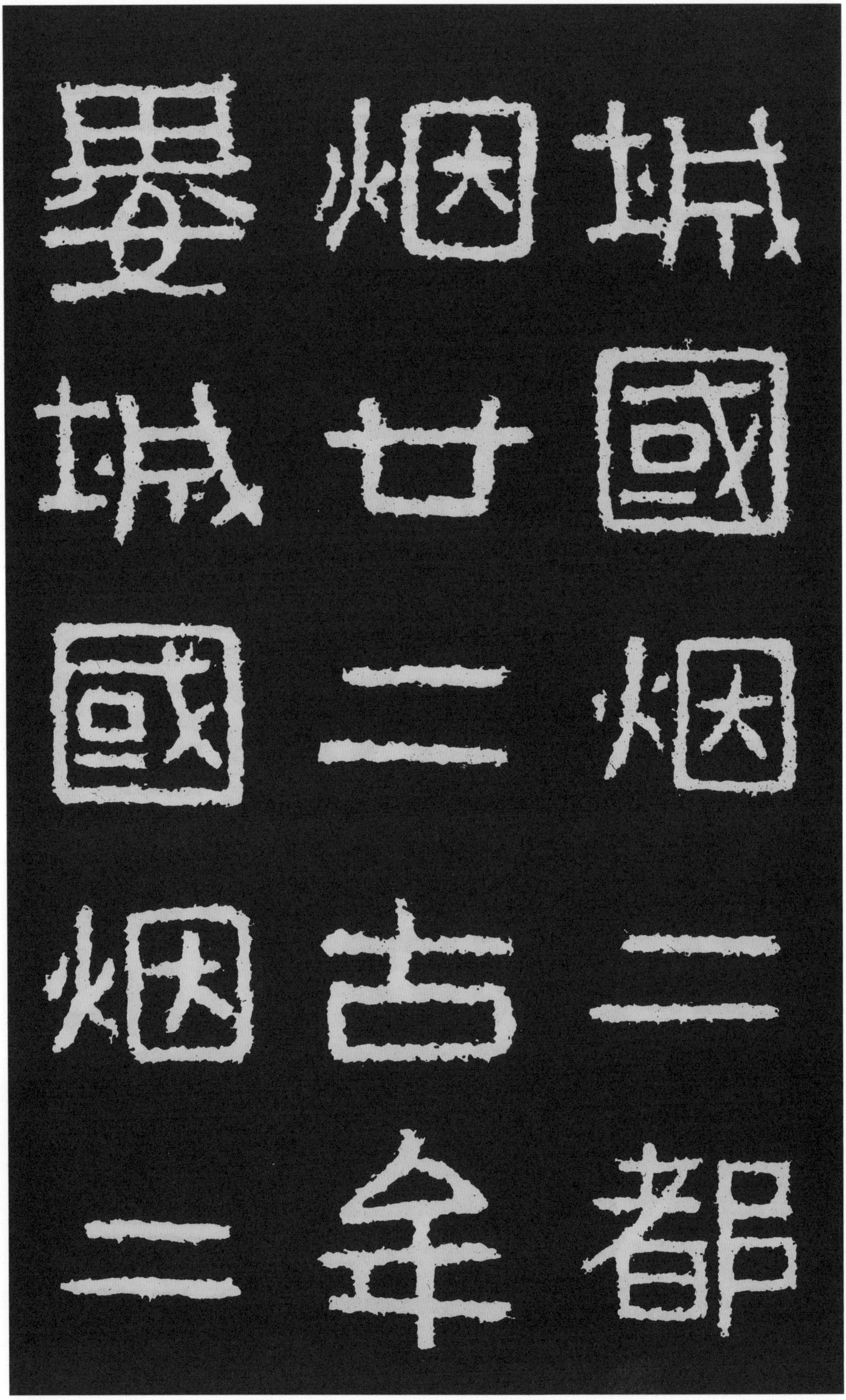

城国烟二都　烟廿二古牟　娄城国烟二

看烟八琢城　国烟一看烟　八味城六家

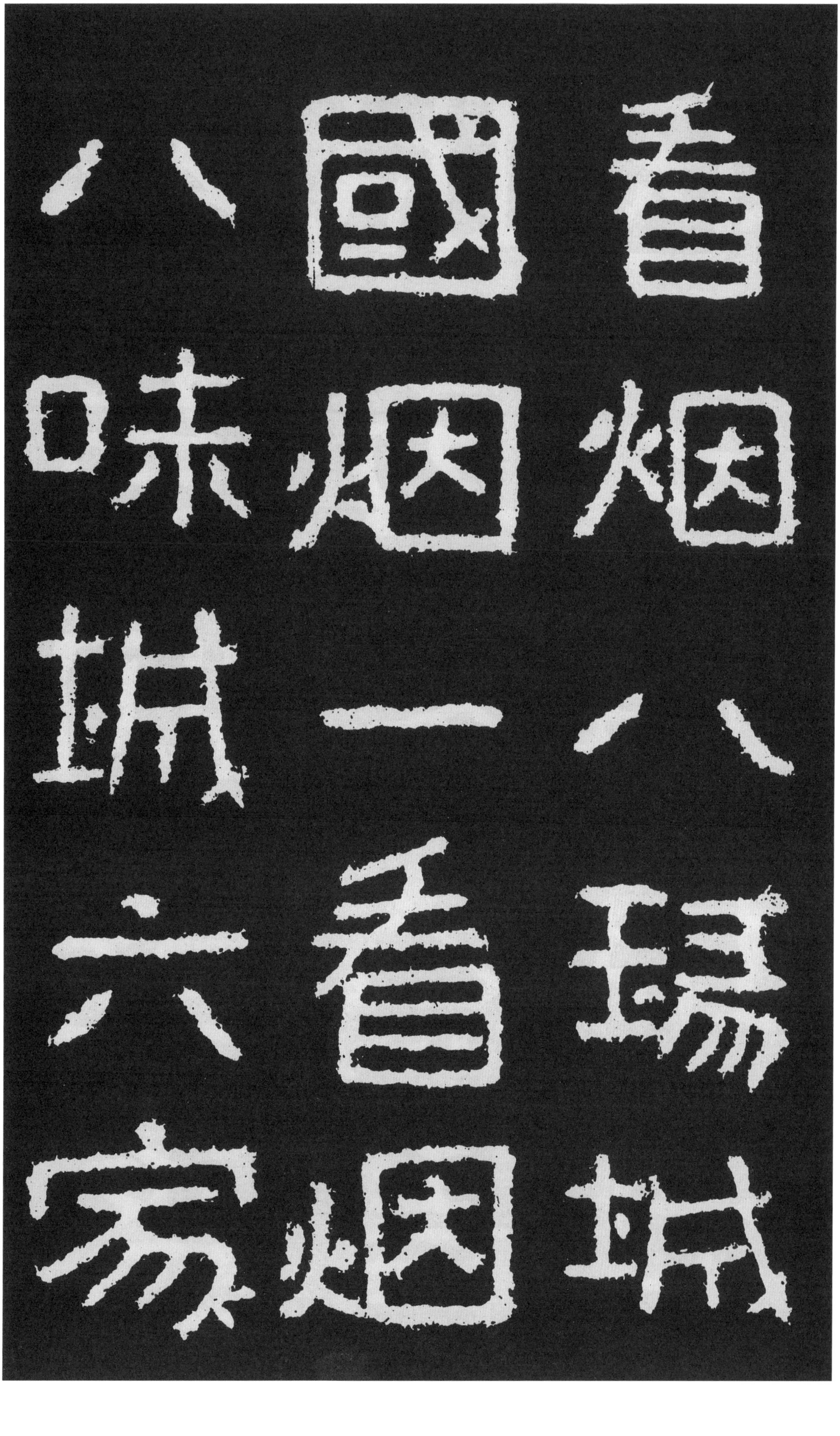

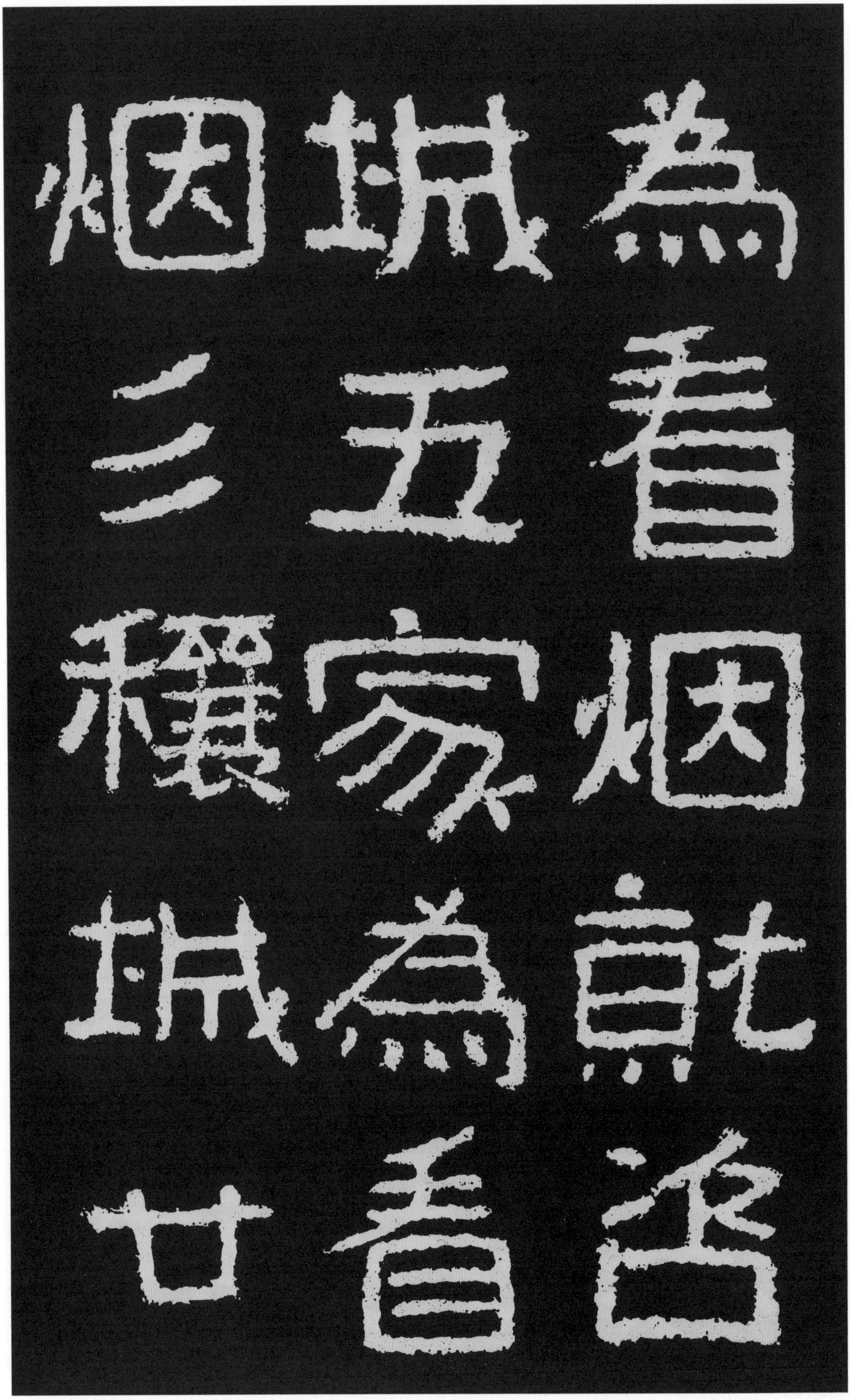

为看烟就咨　城五家为看　烟乡穰城廿

四家为看烟　散那城一家　为国烟那旦

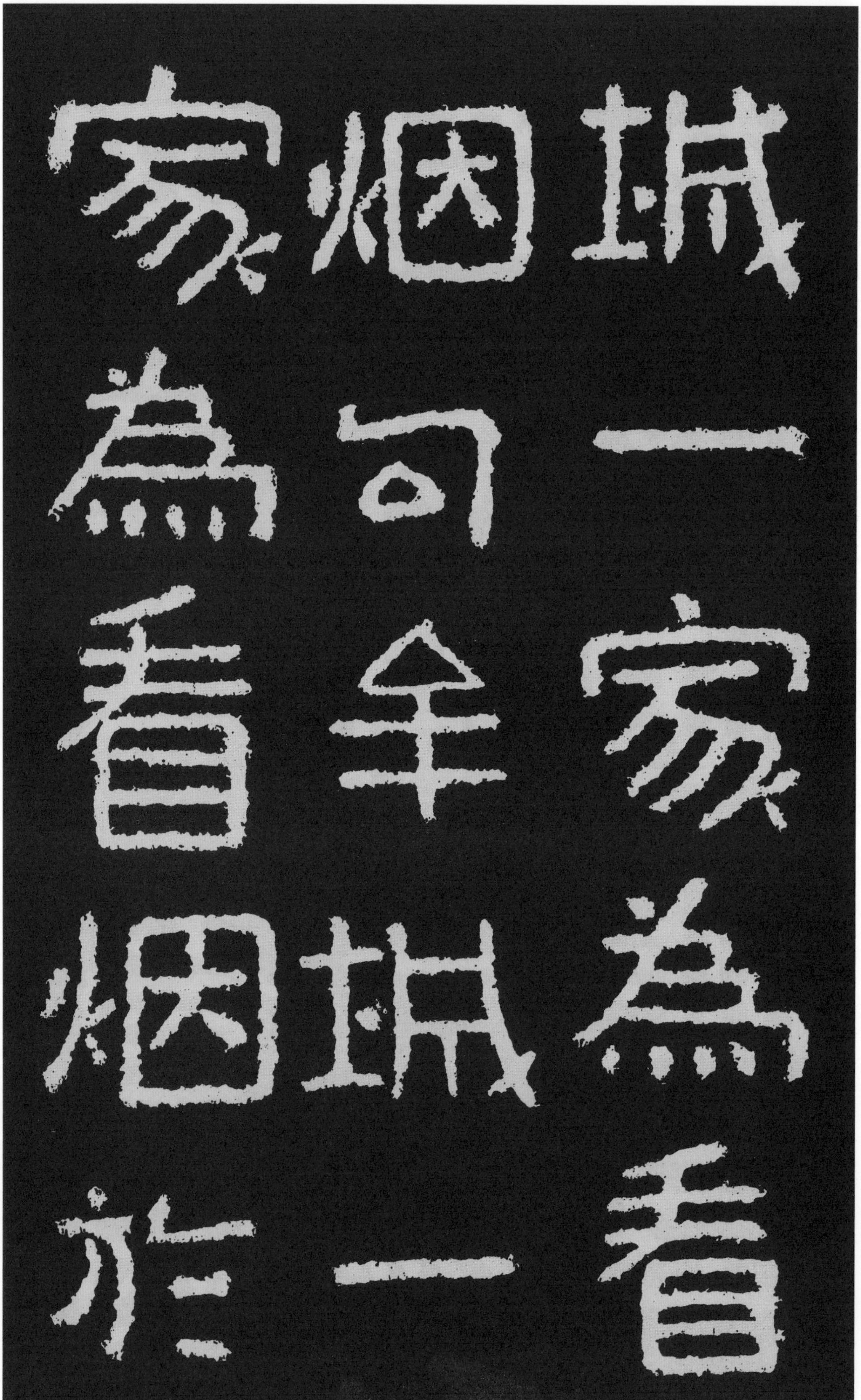

城一家为看　烟勾牟城一　家为看烟于

利城八家为
看烟比利城
三家为看烟

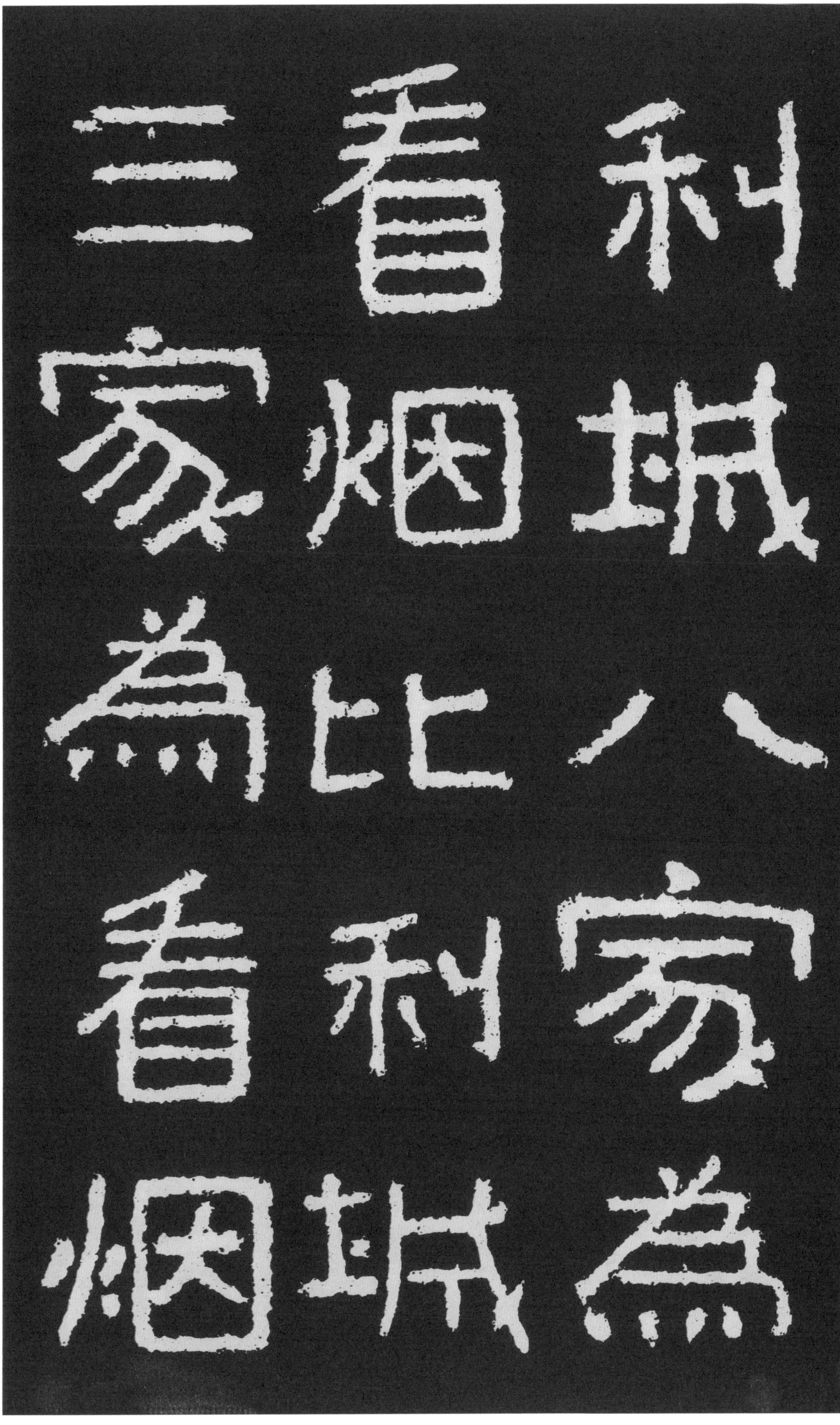

细城三家为　看烟国冈上　广开土境好

太王存时教　言祖王先王　但教取远丘

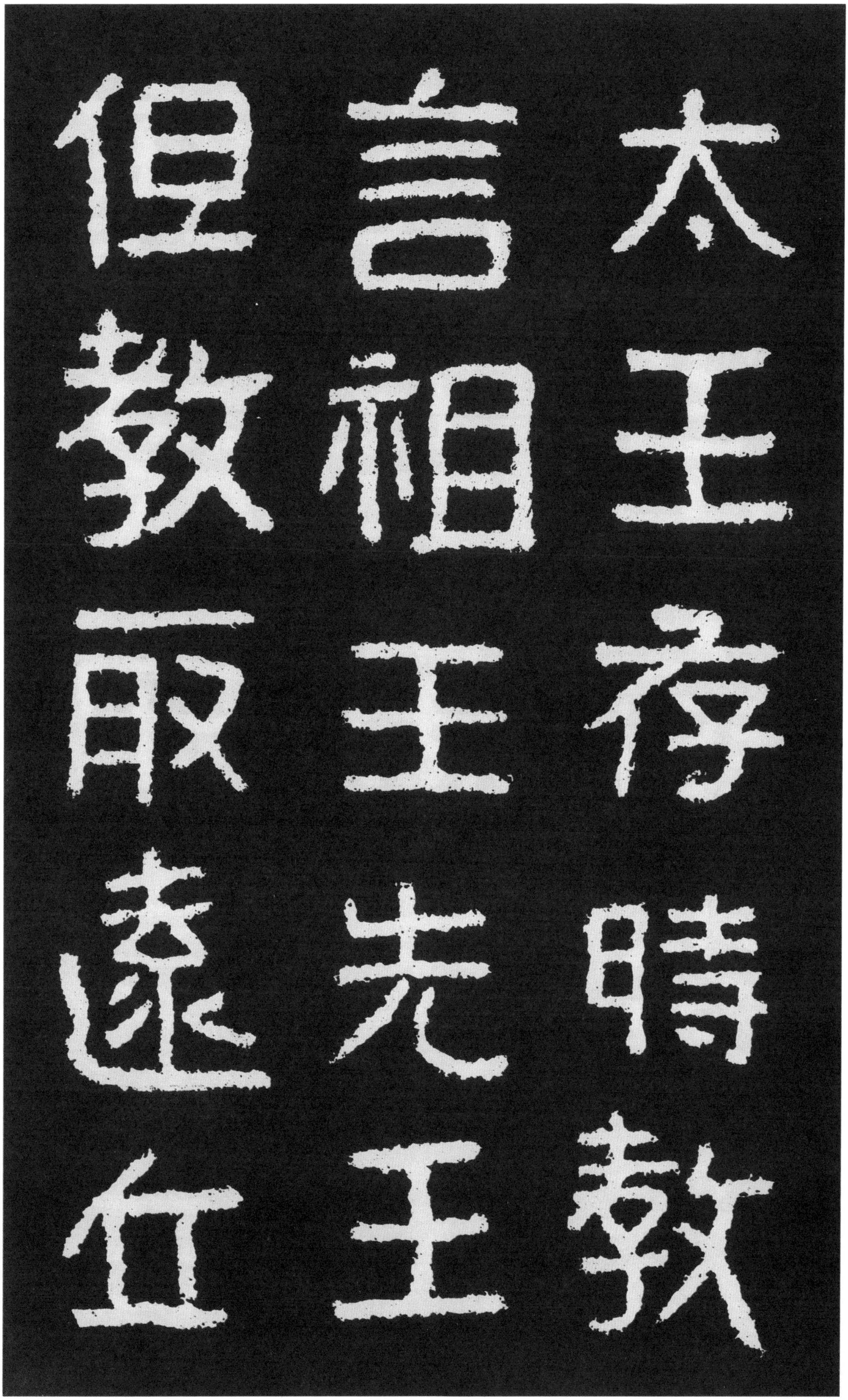

舊民守墓洒
掃吾慮舊民
轉當贏劣若

旧民守墓洒　扫吾虑旧民　转当赢劣若

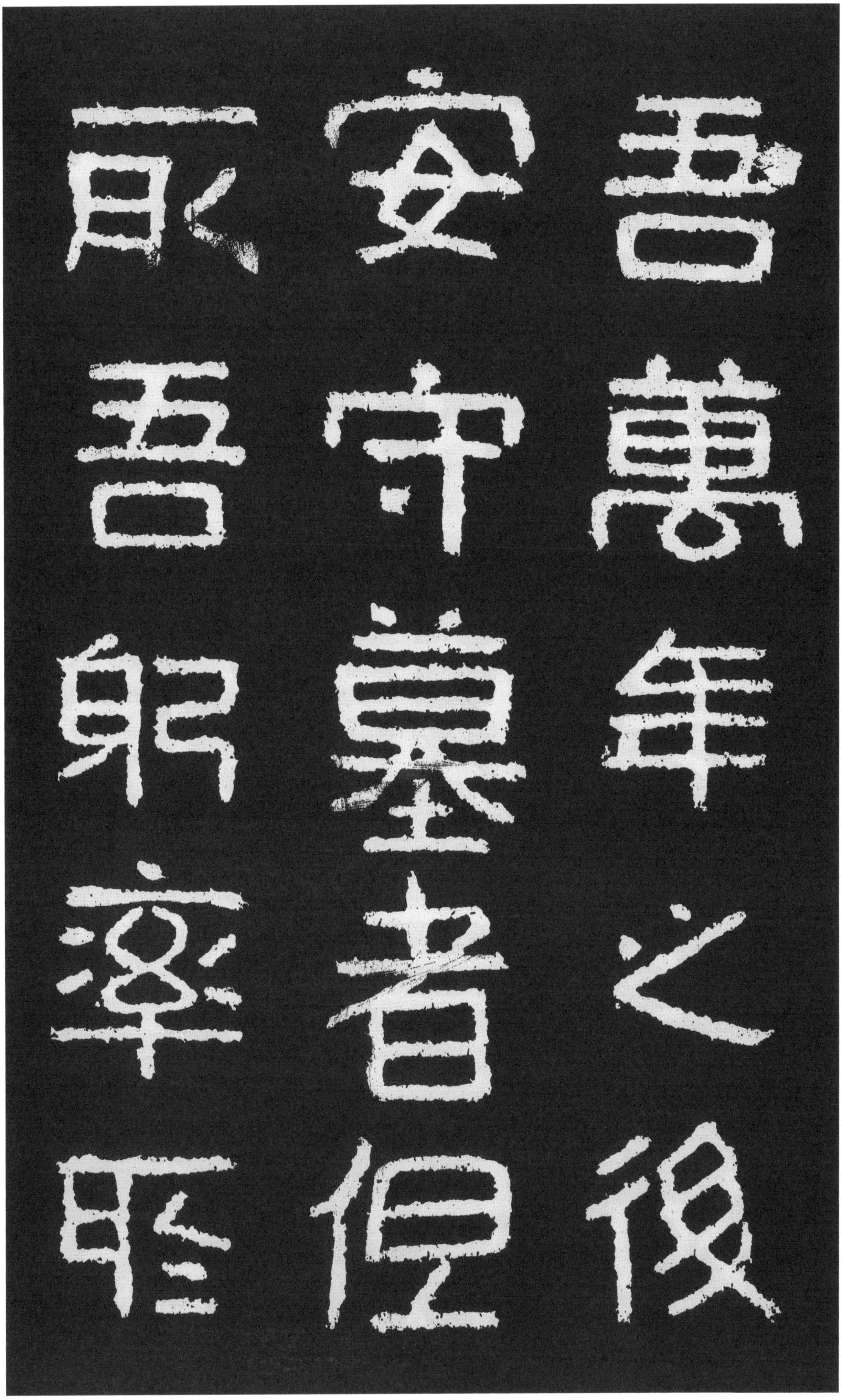
吾萬年之後
安守墓者但
取吾躬率取

吾万年之后　安守墓者但　取吾躬率取

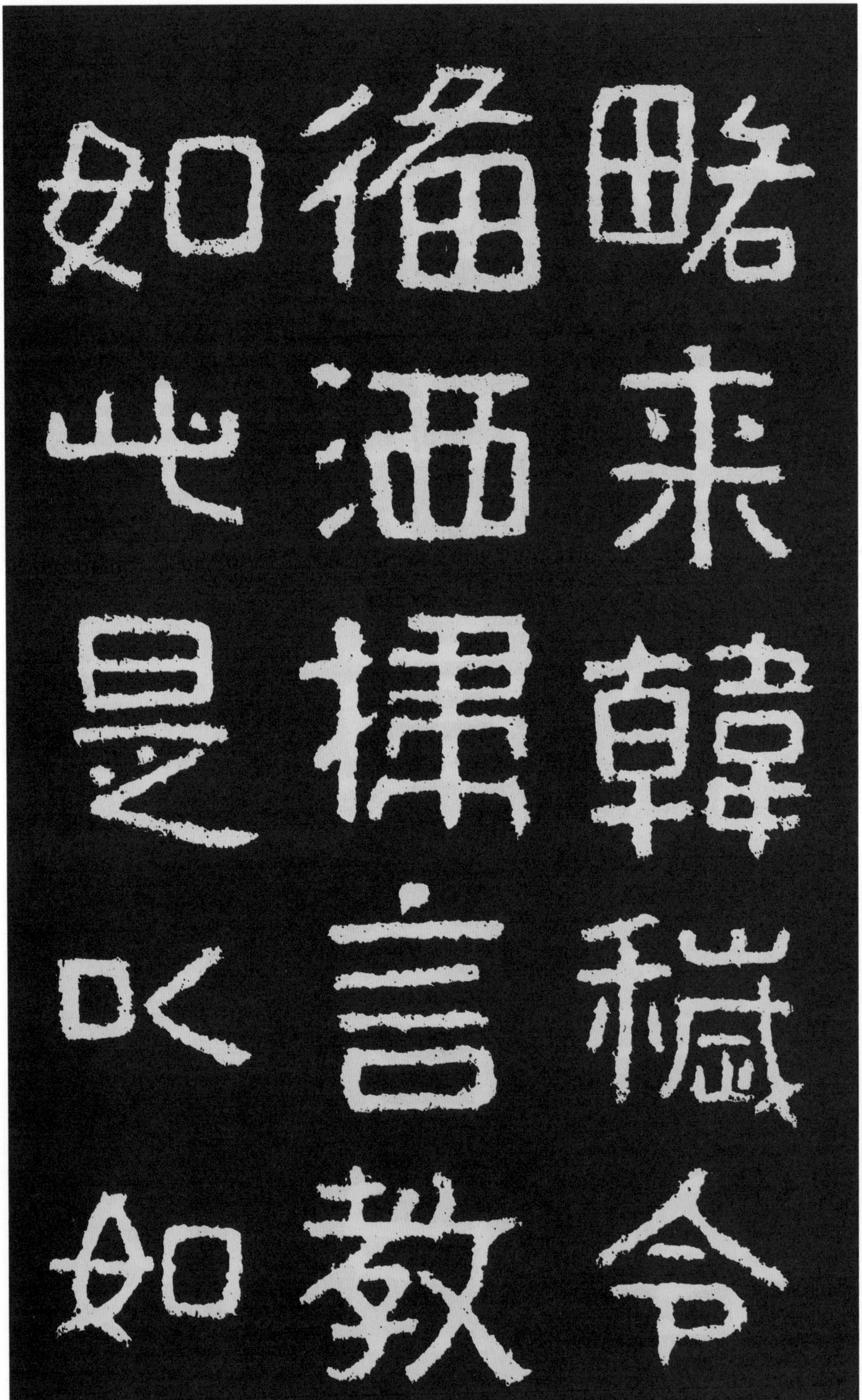

略来韩秽令
备洒扫言教
如此是以如

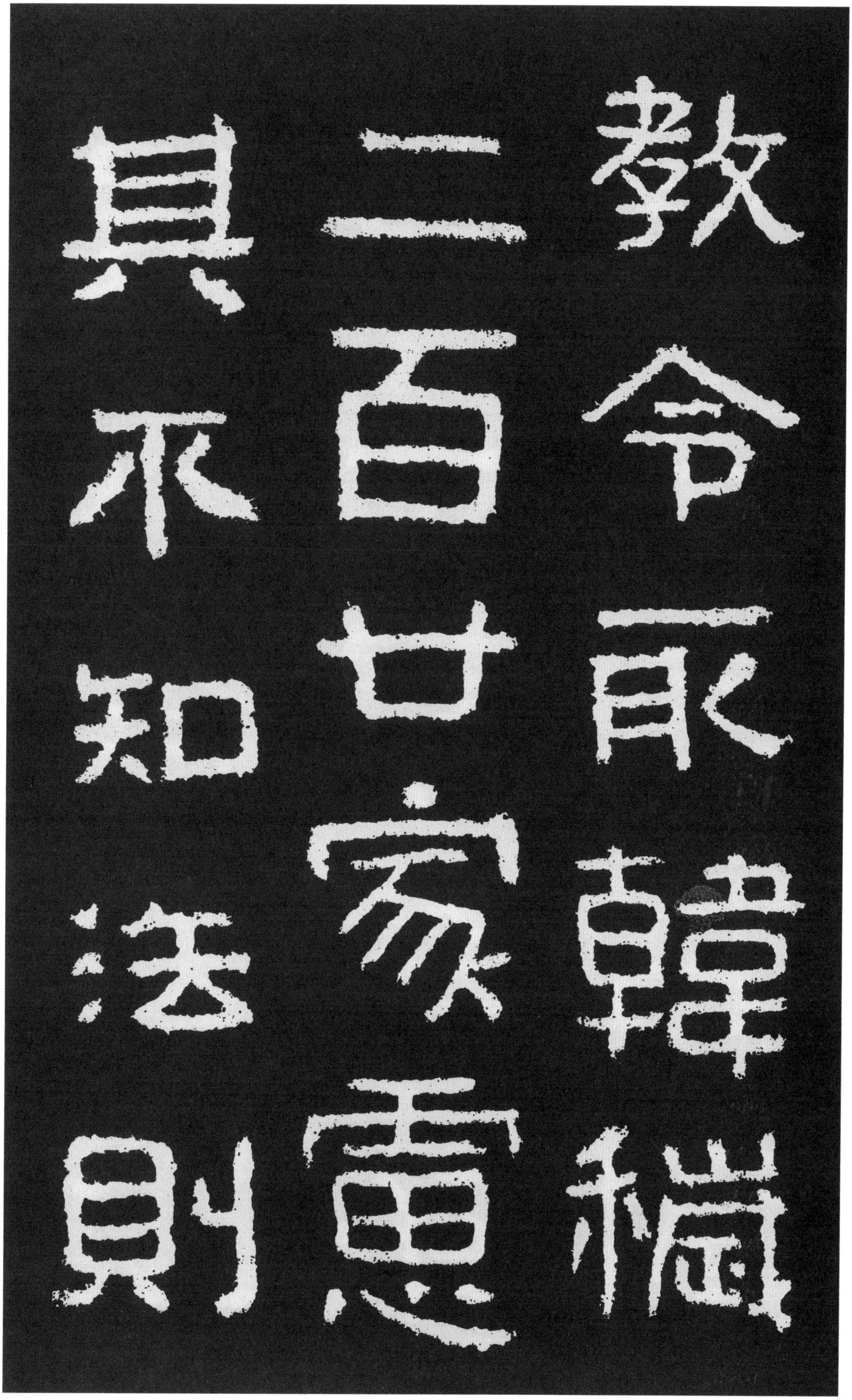

教令取韩秽　二百廿家虑　其不知法则

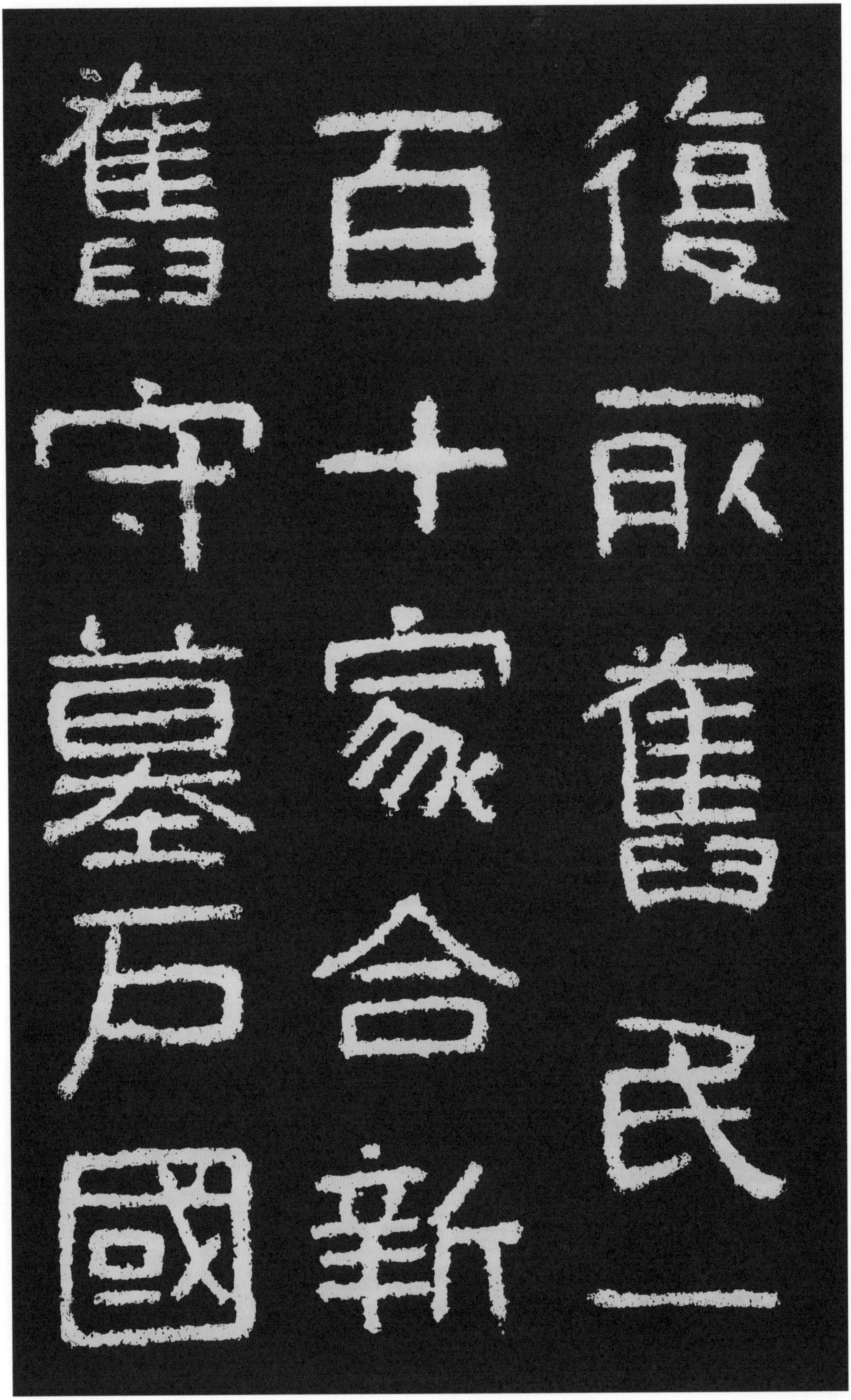

复取旧民一　百十家合新　旧守墓户国

烟卅看烟三　百都合三百　卅家自上祖

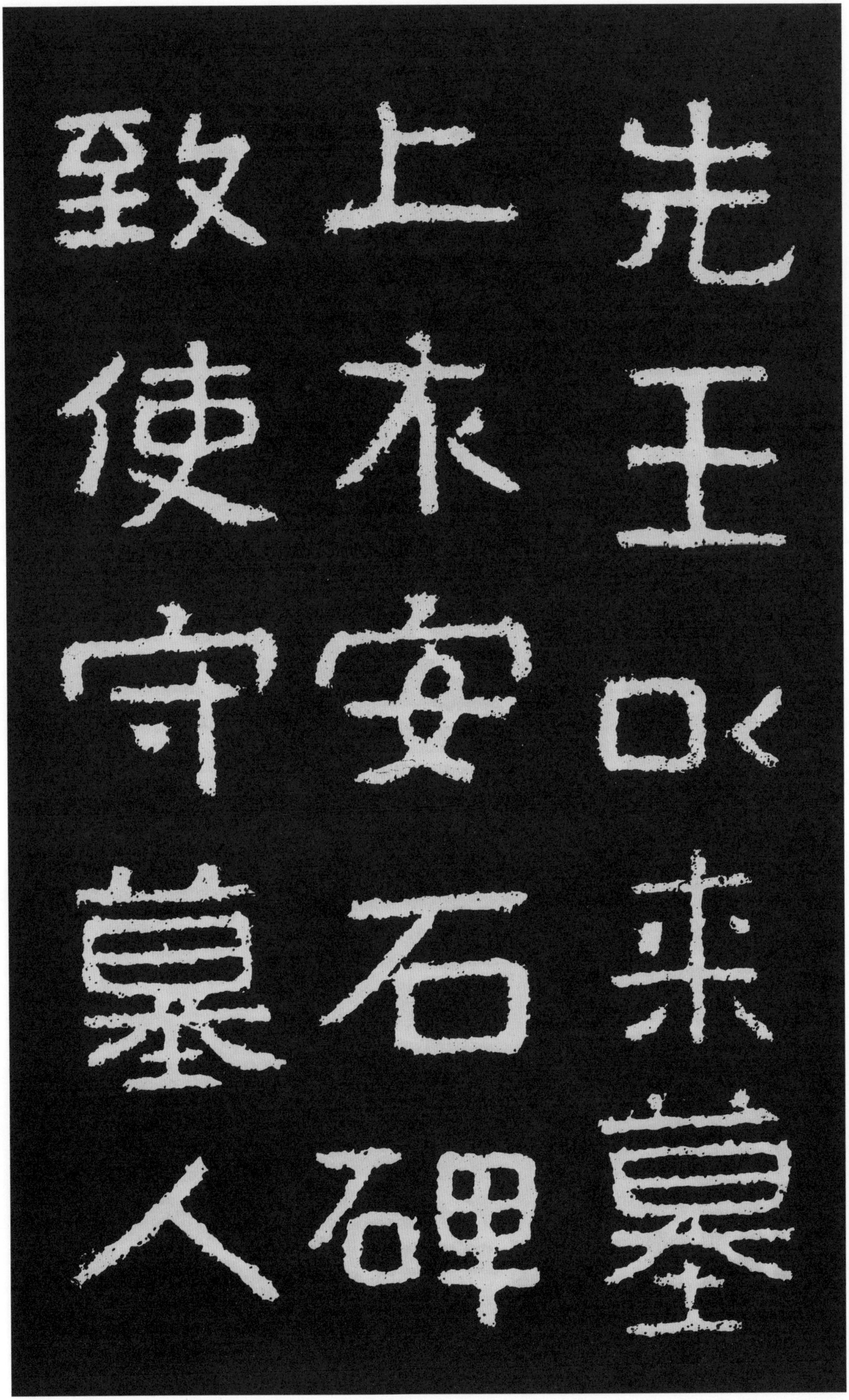

先王以来墓　上不安石碑　致使守墓人

烟户羌错惟　国冈上广开　土境好太王

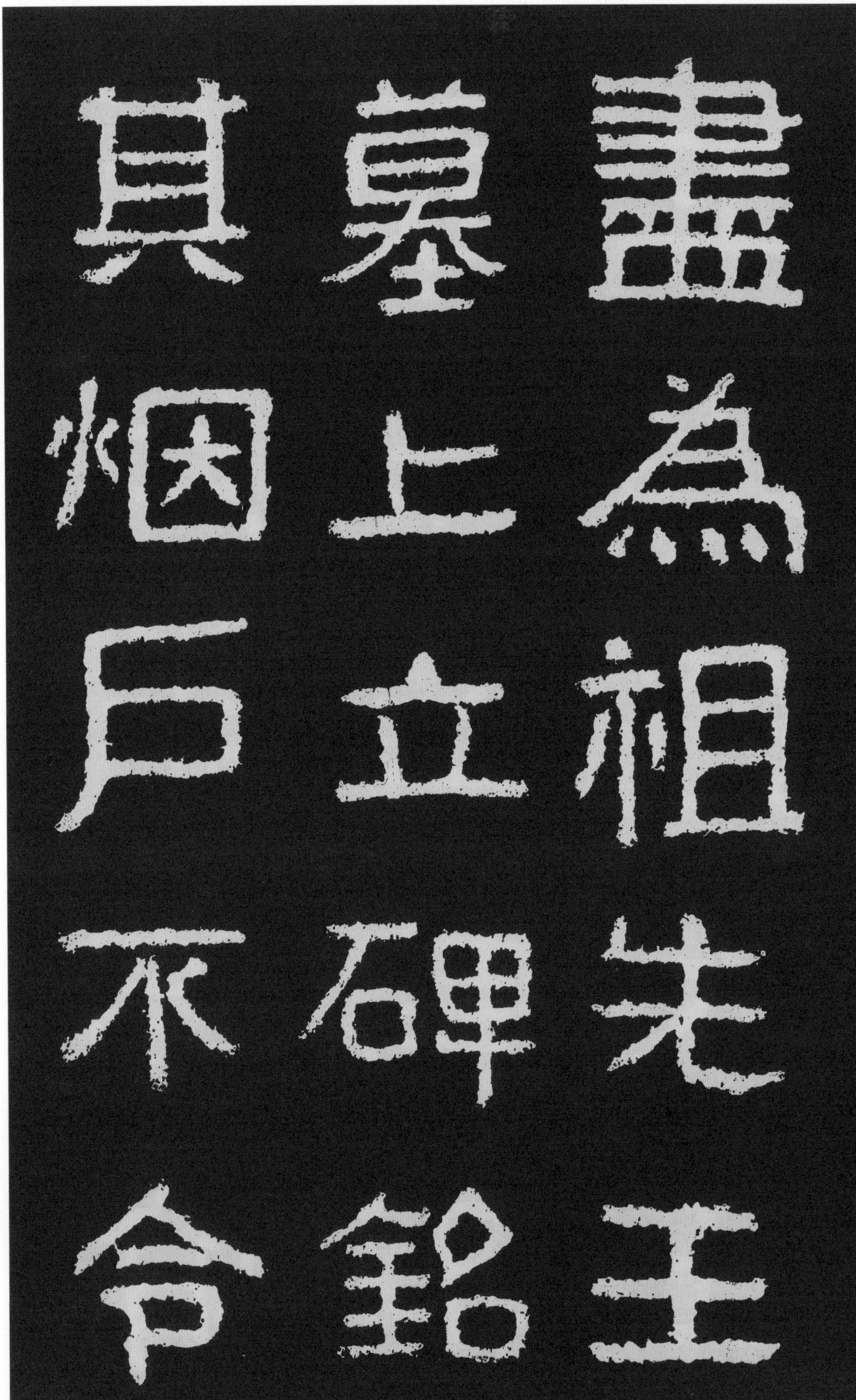

尽为祖先王　墓上立碑铭　其烟户不令

羌错又制守　墓人自今以　后不得更相

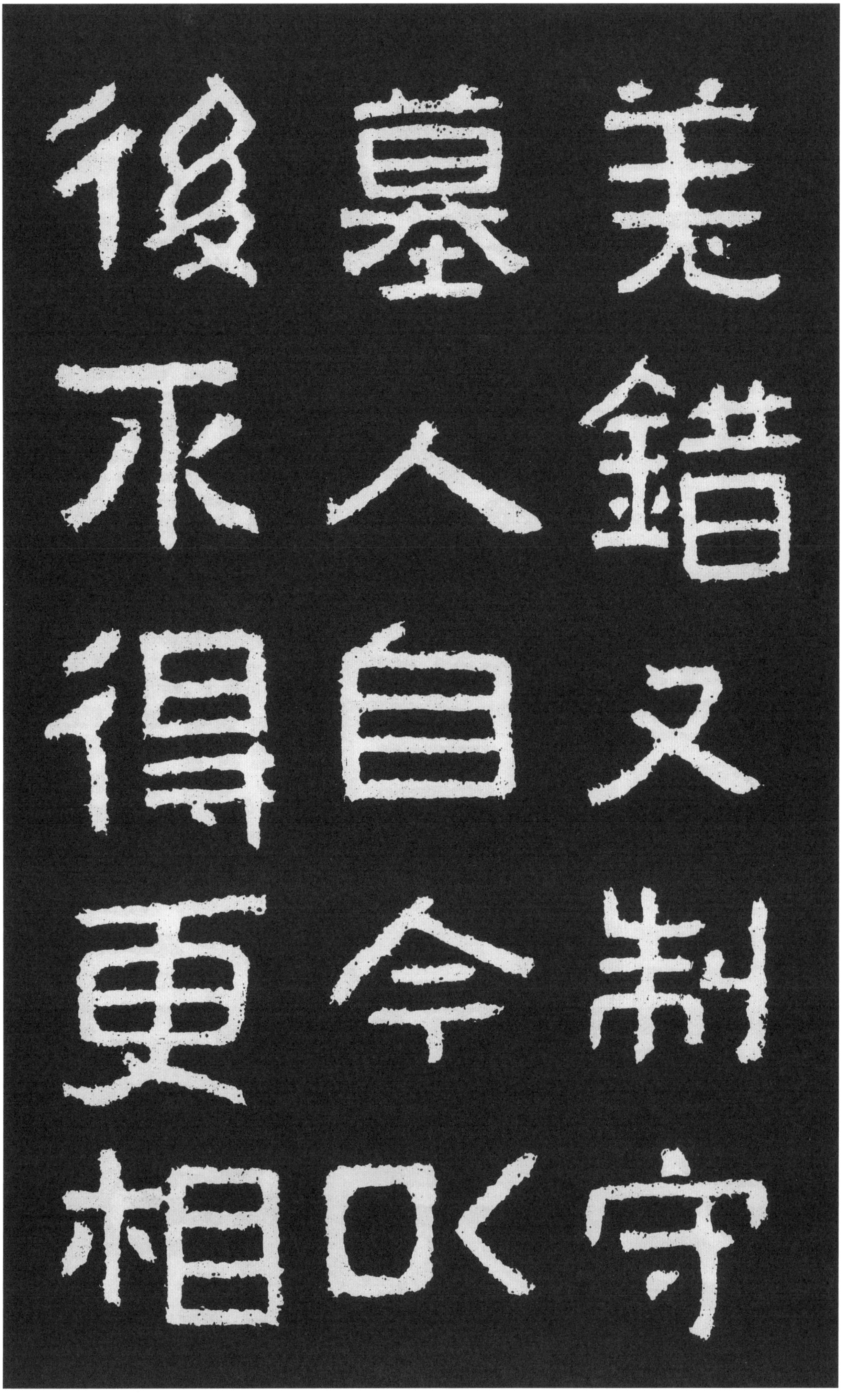

轉賣雖有富
足之者亦不
得檀買其有

转卖虽有富　足之者亦不　得檀买其有

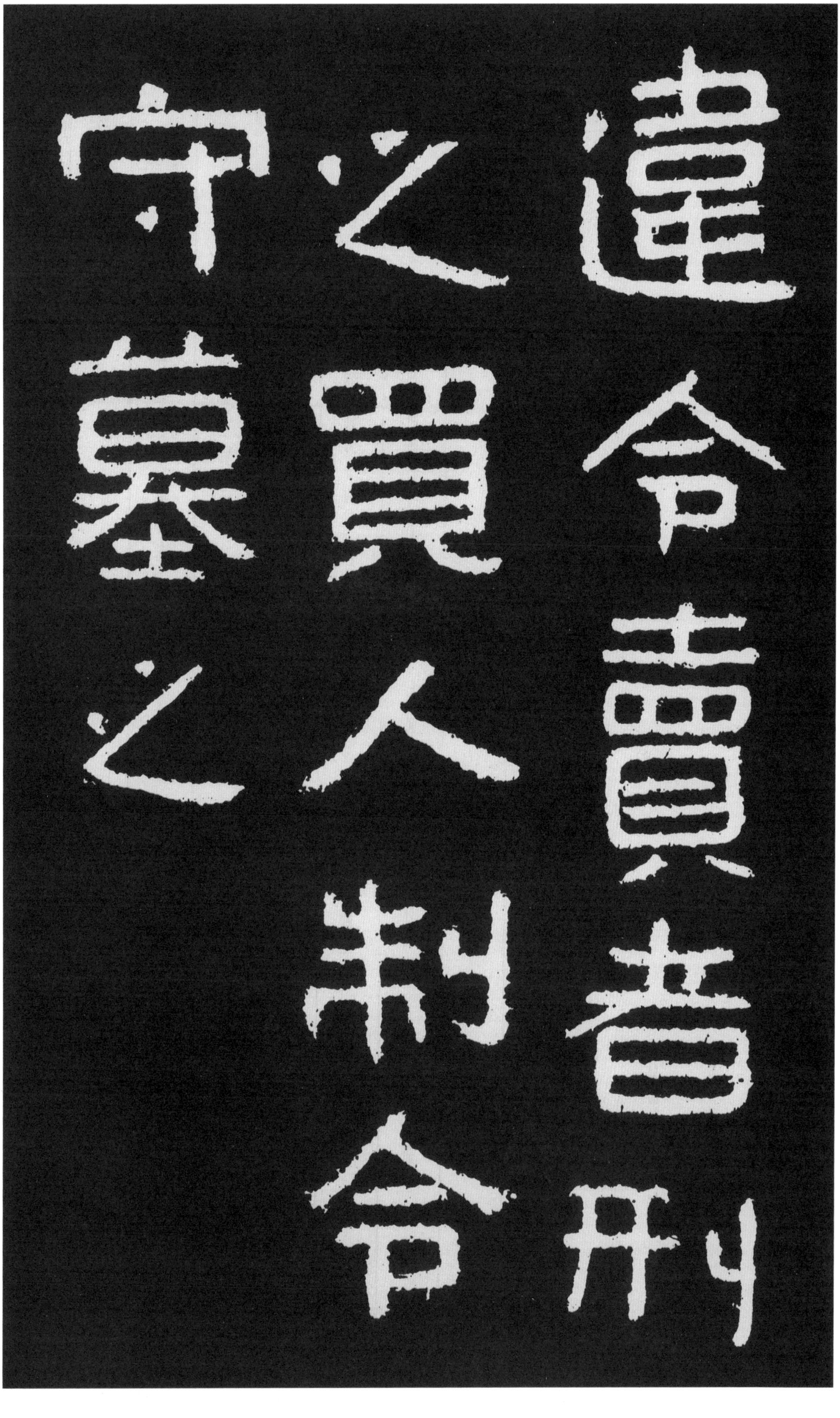
違令賣者刑
之買人制令
守墓之

违令卖者刑　之买人制令　守墓之

細城三家
看烟國罡
廣開土境

本西城山
而建都焉
樂即位因

图书在版编目（CIP）数据

晋好大王碑 / 杜浩主编. — 合肥：安徽美术出版社,2014.6（2023.1重印）
（历代碑帖精粹）
ISBN 978-7-5398-4949-2

Ⅰ. ①晋… Ⅱ. ①杜… Ⅲ. ①楷书 – 碑帖 – 中国 – 元代 Ⅳ. ①J292.25

中国版本图书馆CIP数据核字(2014)第067848号

历代碑帖精粹

晋好大王碑

LIDAI BEITIE JINGCUI

JIN HAODAWANG BEI

主编 · 杜浩

出版人：王训海　　责任编辑：朱阜燕　刘　园　毛春林
选题策划：曹彦伟　谢育智　　装帧设计：金前文
责任印制：欧阳卫东　　责任校对：司开江　陈芳芳
出版发行：安徽美术出版社
地　址：合肥市翡翠路1118号出版传媒广场14层
邮　编：230071
编辑出版热线：0551−63533611
营销部：0551−63533604　0551−63533607
印　制：雅迪云印（天津）科技有限公司
开　本：880mm×1230mm　1/16
印　张：7
版(印)次：2014年6月第1版　2023年1月第14次印刷
书　号：ISBN 978-7-5398-4949-2
定　价：45.00元